项目号：北京市教委社科计划“新时代首都大学校史馆展示及传播策略研究”
（批准号 JE035J00202401）

大学校史馆文化传播与展示设计

王梦瑶 著

化学工业出版社
·北京·

内容简介

大学校史馆作为极具中国本土特质的文化研究对象，具有中国高等教育体系制度载体与文化表征的双重属性。这类文化空间不仅系统地呈现了中国大学的历史演进脉络，更对中国高等教育文化生态的构建与创新人才的培养具有持续赋能作用。本书以文化记忆理论为研究范式，通过设计学与传播学的跨学科对话，旨在构建大学校史馆的创新阐释框架。在理论维度，本书将文化记忆理论引入大学文化研究领域，同时通过本土化转化拓展皮尔斯符号学体系的应用边界，为展示设计策略的学术谱系注入新的理论资源。在实践维度，本书整合媒介传播机制与空间叙事逻辑，将文化记忆理论与符号分析范式转化为可操作的展示设计方法论，最终形成普适性的实践指导框架。

本书不仅适用于大学校史馆设计，亦可为文化主题类展馆设计提供参考。同时，本书适合艺术设计、数字媒体、博物馆学、展示设计等专业的师生，以及文化机构管理者、展陈策划人员等阅读。

图书在版编目（CIP）数据

大学校史馆文化传播与展示设计 / 王梦瑶著 . 北京 : 化学工业出版社， 2025. 10. -- ISBN 978-7-122-49171-8

Ⅰ. G269.263

中国国家版本馆 CIP 数据核字第 2025VT9306 号

责任编辑：吕梦瑶　　文字编辑：蒋　潇
责任校对：李　爽　　装帧设计：韩　飞

出版发行：化学工业出版社
（北京市东城区青年湖南街13号　邮政编码100011）
印　　装：涿州市般润文化传播有限公司
710mm×1000mm　1/16　印张11　字数300千字
2025年10月北京第1版第1次印刷

购书咨询：010-64518888　　售后服务：010-64518899
网　　址：http://www.cip.com.cn
凡购买本书，如有缺损质量问题，本社销售中心负责调换。

定　　价：98.00元　

前言

本书以大学校史馆展示设计为研究对象，梳理了改革开放以来中国大学从编撰校史到开展大学校史馆建设并迈向具有一定中国特色的大学文化展示空间的发展过程。本书分析和阐释了大学校史馆的功能和展示需求，结合设计实践、案例调研、文献考察（以中国为主、外国为辅），探讨了中国大学校史馆展示设计的发展阶段、设计特点和设计趋向。同时，本书在文化视角下将文化记忆理论引入大学校史馆的研究中，揭示了当代大学校史馆作为大学文化记忆的展示场所，对于大学文化传承、传播与发展具有深刻的意义。大学文化记忆是大学人创造和传承大学文化的结晶。大学校史馆是大学人寻找个人文化定位、文化集体认同感和大学文化独特性的根源。大学校史馆的展示内容和设计形式都应围绕大学文化记忆展开，应以此为核心打造具有大学文化特征、凸显大学文化精神的展示空间。

本书在展示设计策略与方法研究中，将大学校史馆作为表达大学文化与文化记忆的符号，结合关注符号解释对于符号内容表意和传播作用的皮尔斯符号三分论，以大学校史馆（符号再现体）为综合媒介，以大学文化记忆（符号对象）为展示内容，以观众和展示设计（符号解释项）为大学文化记忆与校史馆的解读路径，提出了“创境、创识、创维”的多元要素相互作用的展示设计分析策略，并在对大学校史馆的综合研究中提出了展示设计原则。本书结合展示设计基础知识、多个大学校史馆展示设计项目以及多元展示设计策略，提出了“绘景、绘事、绘情”的大学校史馆立体展示设计方法，即营造具有大学文化氛围的展示设计语境；采用将提炼校史馆展示内容的叙事特点与拓展展示空间媒介融合的叙事能力相结合的双线程叙事模式；利用符号化设计转译大学文化记忆，提高观众的解读与共情能力，展示大学文化的艺术化表达设计方法。

本书尝试建构大学校史馆展示设计理论体系，为其展示设计方法提供了理论支持，同时结合符号化的设计思维为大学校史馆展示设计提出了有效的设计方法，并通过清华大学校史馆展示设计项目的实践与辩证思考，为大学校史馆的设计范式提供了有价值的实践范例。此外，本书还从文化视角出发，引入文化记忆理论和符号学思想的展示设计策略与方法，对大学校史馆相关的主题文化建设类展示设计具有一定的借鉴价值。

本书系北京市教委社科计划“新时代首都大学校史馆展示及传播策略研究”项目研究成果。

著　者

2025 年 6 月

目录

第1章 绪论

1.1 研究背景与意义

1.1.1 研究背景

（1）宏观层面

在宏观层面，中国政策背景充分体现了中国大学文化教育和美育的重要性。2004 年 12 月，教育部、共青团中央联合发布的《关于加强和改进高等学校校园文化建设的意见》中要求高校“重视校园人文环境建设。要写好校史、建好校史陈列室，通过资料记载和实物展示，生动形象地反映学校办学历程，激励大学生继承和弘扬学校优良传统”。2017 年 1 月，经国务院批准同意，教育部、财政部、国家发展和改革委员会印发《统筹推进世界一流大学和一流学科建设实施办法（暂行）》。同年 9 月 21 日，上述三部委又联合发布《关于公布世界一流大学和一流学科建设高校及建设学科名单的通知》，正式公布世界一流大学和一流学科建设高校及建设学科名单。2018 年 8 月，三部委联合印发了《关于高等学校加快“双一流”建设的指导意见》，其中特别提到了打造中华优秀传统文化传承基地等，强调了大学文化建设对于促进人类社会发展的重要意义。

从以上政策我们可以发现，中国高校的文化建设已经走上了全面发展和提升的道路，高校不但是教授知识的教育场所，也是引领学生了解和学习大学文化、中国文化的地方，更是培养具有责任感和使命感的中国有志青年的地方。

（2）中观层面

在中观层面，社会各领域的文化形象建设及对外推广速度加快，大学文化建设与教育工作持续加强。这除了源于国家层面的政策支持以及国家发展的需要外，更与经济的快速发展、科学技术的进步、人们生活水平的提高以及生活模式的转变息息相关。人们对文化传播的重视程度日益提升，在大学中，最重要的文化传播内容除了学术知识之外，大学精神、中国传统文化精神等也都是必不可少的。这种兼具无形文化精神和有形文化内容的传播是非常典型的。文化传播一般可分为两种：一种是最常见的各大品牌（企业）的文化形象输出，作为营利的个体，其具有充分的营销自由度以及资金支持，当品牌（企业）发展到一定规模的时候，往往会选择建立自己的基金会或档案馆等，主动提升品牌的内涵和文化形象，使品牌得以传承，从而实现价值以及社会地位的提升。另一种是以国家或者城市为形象输出对象的文化传播，以各届世界博览会或各城市建设规划为主要参考对象，无论是用优秀的科技成果或文化传承展现国家形象、国家魅力的世界博览会，还是充满文化传承、城市活力的城市规划，它们都将自身转化为一个庞大的戏剧舞台，在这些封闭或开放的空间里，通过各种展示手段和设计元素将国家形象或城市形象进行展现，从而向观者传达一个国家或城市的精神文化。高校的形象发展、社会地位，甚至是国际地位的提升也正是如此。在不同的校园内，中国特有的“校史馆”相继建立，这些展览空间成为引人注目的绝佳载体，不论是“校史博物馆”“校史陈列馆”还是“校史馆”，都是最能够承载大学文化元素的地方，也是展示大学形象的重要窗口。

根据2017年三部委发布的《关于公布世界一流大学和一流学科建设高校及建设学科名单的通知》，在“双一流”建设高校名单中，一流大学建设高校42所，这些学校在国内有着重要的教育地位和历史意义，校史馆的覆盖率几乎达到了100%，不到20%的大学校史馆是近3年建成或者是升级改造的。2022年，在三部委研究并报国务院批准后再次公布的“双一流”建设高校及建设学科名单中，共147所高校入选，校史馆的覆盖率依然可以达到95%以上。大学校史馆或者高校博物馆的建设确实令人关注，但是随着中国近年来的高速发展，其在展示设计上仍然有更多的发展和上升空间。

在对校史馆研究背景的调查中，2018年教育部办公厅发布的《关于做好2018年教育事业统计工作的通知》中的附件《2018年教育事业统计调查制度修订主要内容》引起了笔者的关注，其中的第二大项“教育事业统计调查制度报表修订内容”第1分项第4小项内容如下。

4. 博物馆

根据教育事业发展现状，新增高等教育学校“博物馆”指标。

填报说明：指由具有独立法人资格的高校主管并批准设立的，隶属于各高校的内设机构；或由高校主管的具有独立法人资格的机构。收藏、研究和展示人类的物质与非物质遗产及其环境，并开展公共教育活动，体现各高校自身的主干专业特色或历史特色，基于高校所收藏的文物、标本、文献资料等文化财产，具有固定的专业场所，不以营利为目的，面向高校师生及社会公众开放、服务于社会的公益性机构。位于大学校区内的重要历史、文化、教育建筑遗址，以及名家名师故居，可以作为博物馆保护和展览的延伸空间。校史馆不属于高校博物馆范畴。

笔者关注到最后一句“校史馆不属于高校博物馆范畴”，因此从国家的层面上来看，基于大学校史馆的成立背景、组织机构等一系列历史、政策等因素，中国的大学校史馆属于一个独立的展馆类别。但无论校史馆是否为博物馆，就目前现存校史馆的表现（主要指校史馆的整体展示设计、叙事方法、在高校的职责地位等）而言，笔者认为其社会服务功能以及社会影响力还需要通过更加深入的研究和设计才能发挥出来。因此，承载着中国高校形象集合体的校史馆的设计改进已经迫在眉睫，关于它的设计方法、设计工具和设计道路也在逐渐探索中。

经过文献考察和人物专访后发现，我国大学校史馆的历史较为短暂，并没有固定的国家条例规划下的隶属部门，通常各个学校根据自己的办学制度对本校校史馆进行管理，主要呈现为“一块牌子两个办公室”（校史馆与档案馆从属于一个领导机构）的混合管理模式，或单独成立校史研究部门和校史馆的独立管理模式。经过初步调研分析，我国大学校史馆区别于一般的企业或品牌展览馆，是一种非营利性的集大学文化展示和育人功能于一体的空间。针对大学校史馆的相关研究发现，韩国、意大利、德国等一些国家的大学也有相应的大学校史馆或者是展示场所。但总体来讲，由于文化传统、教育模式理念等的不同，国外大学鲜有专门展示大学历史的独立场馆，大部分都将校史展览或大学文化、发展历史以及纪念精神等相关内容的展示融入大学博物馆、大学图书馆、专设纪念馆等场所中。

在我国，大学校史馆具有容纳以上这些内容的综合功能（此处并不排除多数大学在有大学校史馆的同时也设有人物专项纪念馆或者重大历史事件纪念馆等），并且有典型性的扩展校史馆建设数量的趋势。自20

世纪 90 年代以来，我国大学兴起建设校史馆、弘扬校史文化的热潮。据笔者对我国《高等教育改革发展专题观察报告》的分析，在 2017 年，校史研究板块还只有校史本身，但是在 2018 年专设了校史馆专题，并对校史馆的建设细节进行了诸多分析，大学校史馆建设逐步走进了大众的研究视野。校史馆作为一种文化设施，必须占有一定面积的建筑空间。如图 1.1 所示，截至 2018 年，我国 57% 的大学校史馆建筑总面积不超过 $2000m^2$，9% 的大学校史馆总建筑面积超过了 $5000m^2$。如图 1.2 所示，截至 2018 年，我国大学校史馆展厅面积以不超过 $2000m^2$ 为主流。个别学校在条件允许的情况下，校史馆展厅面积超过了 $2000m^2$，如延安大学（$5800m^2$）、西南交通大学（$3800m^2$）等。

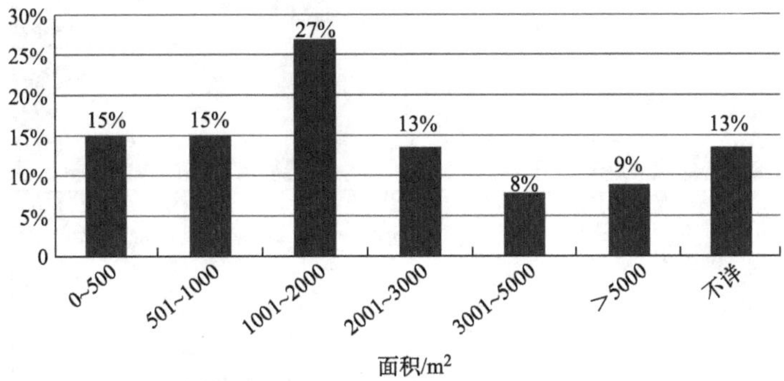

图 1.1　2018 年大学校史馆建筑总面积情况

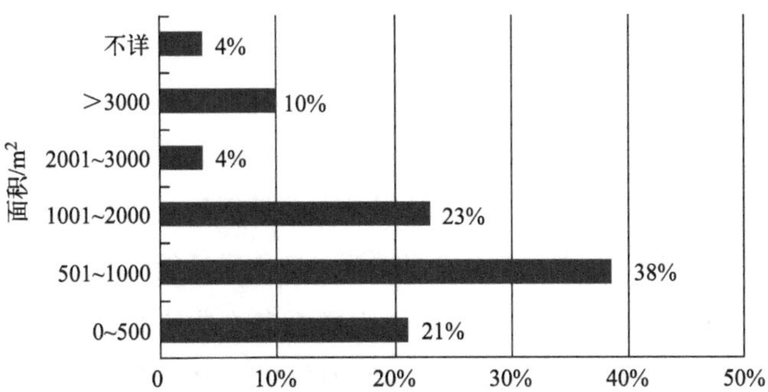

图 1.2　2018 年大学校史馆展厅面积情况

随着我国高校对大学校史馆的需求日益增强，大学校史馆已经普遍建立起来，其建筑面积和展示规模也在不断扩大。与此同时，随着大学历史底蕴的积淀，观众对于大学校史馆的期待和要求也越来越高，大学校史馆的展示设计也相应具有时代语境下的新特征。图 1.3、图 1.4 为上海交通大学两所不同时期建立的校史博物馆展示设计实景图。

图1.3　2016年上海交通大学校史博物馆（徐汇校区）

图1.4　2021年上海交通大学校史博物馆（闵行校区）

（3）微观层面

在微观层面，展示设计的发展变化，以及主题性展示对展示空间的全要素关注，表明大学校史馆的建设发展需要一定的设计策略参考。展示设计是大学校史馆这一展示场所的核心构成要素，是其中重要的信息传递手段，它决定着大学校史馆能否更好地传达校史馆内的信息内容。同时，展示设计在关注美育的今天，为大学校史馆带来了教育场所更新的可能性。近几年来，我国展示设计学科在国家大型文化展示活动中发挥了学科力量，从学科应用领域到学科设计表达以及展示技术等方面都发生了巨变。我国大学校史馆虽也在随着时代和大学自身的发展对展示内容、形式进行了更新，但就展示设计而言，仍有继续发展的潜力。随着大学校史馆的不断建立，关于大学校史馆的展示设计策略与方法在宏观层面仍是空白，已有的研究多数是对具体的设计手段、设计案例进行分析。在笔者展开的大学校史馆实地调研中，相关从业人员也表示展示设计是校史馆的重要环节，但是因校史馆的特殊展馆性质，并没有太多直观的知识模型可参考借鉴，因此展示设计是业内较为空白的领域。

综上所述，针对当代中国大学校史馆的特性，在此处笔者仅展开了最为典型的几项进行阐述。在之后的内容中，将根据研究内容对相应问题进行展开与分析。在我国，大学校史馆这一年轻的文化展示空间正处于蓬勃发展的时期，从当前大学校史馆的设计策略来看，大学校史馆是一个以大学内部群体为主要受众的文化教育场所，只有将其放在社会大环境中，借鉴更多横向领域的文化空间建设方法，才能找到更适宜的设计策略，从而引领该类展馆向更好的方向发展。

1.1.2 研究意义

目前，我国大学校史馆群体在制度建设、内容编排、社会定位等一系列相关建构中，正处于奔向成熟期的飞速发展阶段，并且笔者认为，只有将大学校史馆的建设与社会发展相联系，并将大学校史馆的展示内容和大学文化、社会文化建设发展相关联，才能让这一具有中国特色的文化教育空间蓬勃发展。本书从大学校史馆的展示设计这一研究视角出发，探索大学校史馆的内容构建方法，通过展示设计搭建一所大学的校史馆，更加立体地展示以一所大学为目标开展专业研究。作为展示设计人员，在面对大学校史馆的展陈设计时，首先要参考的往往是该大学的校史大纲或相关书籍。“盛世修史”，当代中国大学尽管大多不足百年，但从大学行政层面观察，它的发展更迭往往与以下因素相关：大学每一代的行政管理团队；每五年、十年、二十年、百年大学成立时间节点及其他特殊时间节点；国家高等教育发展目标等宏观、微观层面的政策等。同时，大学的“年代更迭”也源于一批又一批的师生，尤其以学生群体为主，每一年的新生和毕业生都推动着一所大学文化的生长。大学文化不断地塑造着一代又一代新的学生与教职工，甚至是希望了解大学文化的社会人士。大学在传授知识、为社会塑造优秀人才的同时，更在中国这个大的社会语境下，不断地塑造出具有中国文化精神，具有中华民族集体认同感，具有大学集体认同感、个人认同感的人。

在全球化加速发展的当代社会，“流动的现代性”加速了不同群体之间的文化同化和融合。在现代社会经济以及技术等全面发展的推动下以及资源共享的最大化中，人们的生活水平、质量在不断提升，但是全球文化同质化以及西方文化霸权也对我国文化事业的发展造成了一定冲击。我国著名人类学家、社会学家费孝通于 1997 年提出了“文化自觉”一说，强调了在世界文化大发展的趋势下，既要保持自身文化的不同，又要拥有世界文化共同发展的特点。

笔者通过对大学校史馆的深入研究发现，大学校史馆作为集中展示大学独特文化的场所，是大学守护、传承、延续自身文化的关键。在高等教育蓬勃发展、充满挑战与机遇的今天，让大学文化能够在时代洪流中更好地“守护本心”，发展大学自身文化特色，就需要大学在不同的时代语境中回忆过去，唤醒当代大学人对于过去的记忆，并使其对大学未来的发展有更加明确的期望，而这也正是当代中国大学校史馆的职能所在。因此，大学校史馆成为表现大学文化自觉之地，通过对大学校史馆展示设计的提升，可以充分展现大学文化的独特魅力和学术发展情况，促进展示内容的传承与交流，从而实现和而不同的大学文化融汇。

综上所述，对能够集中展示我国大学文化特质和意义的大学校史馆进行展示设计，使人们更好地在大学校史馆中认识、记住和回忆一所大学，对于增强当代人的文化自觉、增强大学生群体的集体认同和个体认同，具有极为重要的现实意义，可以通过良性循环的内在方式促进大学的文化定位和发展。

1.2 相关概念

1.2.1 研究对象

（1）大学校史馆

以大学校史为主要展示内容的大学校史馆至今在学界尚未形成明确的理论总结与归纳。以我国为例，从行政管理上，教育部曾发文称“校史馆不属于高校博物馆范畴”，其管理通常由大学自主负责，与大学档案馆关系密切或与档案馆合并管理。从大学校史馆的展陈内容出发，它属于历史博物馆的特殊种类，展示内容以大学校史、科研成果、纪念精神等为主，其馆藏展品通常不局限于某类专题和学科，而是围绕大学发展的各个方面。

当代中国大学校史馆的建设起始于20世纪80年代，相比于和它性质相近、同样具有展示功能的大学博物馆而言，目前我国大学校史馆仍处于起步发展阶段。同时基于调研可知，在国外大学中，由于文化教育等历史传统不同，在韩国和日本，只有少部分大学拥有校史馆（展厅）或校史博物馆，在欧美国家则鲜少出现如我国一样明显以校史为主的集中展示空间。因此，国外关于大学校史馆的各类研究也都尚处于早期阶段。在调研中发现，“校史馆”在我国大学中常以大学校史馆、大学校史博物馆、大学校史陈列室、大学博物馆等不同名称及规模的展示空间出现，在形式表现的细节中，其展示内容、展示空间的规模等都与大学整体发展（如历史进程、文化特色、政策制度等）紧密相关。

同时，笔者在调研中发现，与大学校史馆同是受到群体自我文化关注并形成体系规模的“生态博物馆”在1985年被认定为由公共权力机构和当地人民共同设想、共同修建、共同经营管理的一种工具，由专家及机构所提供的资源实现，并融入当地人民的想法、知识与经历。1988年，加拿大博物馆学家勒内·里瓦德（René Rivard）提出了简洁的公式：传统博物馆 = 建筑 + 收藏 + 专家 + 观众，生态博物馆 = 地域 + 传统 + 记忆 + 居民。他更清晰地指出了生态博物馆与传统博物馆的差异，从而规范了生态博物馆的建设与发展实践。

生态博物馆更加关注人和自然之间的关系，因此我国的生态博物馆主要出现在云南、贵州等地，通常是为了保护当地自然资源而建立的。这为笔者对大学校史馆进行定位提供了指导性的借鉴。基于上述关于大学校史馆整体发展情况的简要叙述和生态博物馆的理念，笔者对我国多所具有代表性的大学校史馆进行了调研，根据中国大学校史馆发展的共性与特色，将本书研究对象“大学校史馆”定义为：以大学校史为核心，展现大学历史发展、制度管理与教学科研成果，传承大学文化精神，承担大学人文素质教育和形象塑造与宣传功能，借助艺术设计、信息设计等多维度设计方法，全方位展现大学的各个发展阶段，是大学校史的研究基地，是大学人、大学校友的精神家园，是社会各界了解大学的集中展示场所。

（2）展示设计

美国SEGD（美国环境体验设计协会）曾将展示设计的定义概括为信息传达与环境的融合。在学界，展示设计关乎多学科的综合发展，鉴于此，本书对展示设计的理解如下。

展示设计由展示与设计两部分组成。

展示是一种带有目的性的信息交流活动。它更关注的是展示内容、目的、主题与展示的意义，存在着明确的信息主、客双方。被展示的对象是信息的主方，观众则是信息接收的客方。展示是一种开放的、相对自由的活动形式，它不拘泥于使用的环境，同时它也为不同层次的观众服务。在展示活动中，包括了解、收集、学习等各种不同的信息认知层级。展示活动是一种具有一定主题性、计划性和周期性的设计活动，是需要根据展示信息所属对象的主题内容和主客观条件（如时代语境、展示环境等）进行展示策划的综合性信息传播活动。

设计则旨在帮助主方强化信息的展示，进行有效的传达和有预期的信息反馈。在展示设计的语境中，主客双方在特定的设计环节借助一定媒介或技术手段，进行不同向度的信息交流（单向、双向）。展示设计需要集中体现展示主题的信息内容，注重信息传播的质量与效果，并考虑展示内容的多维秩序和表达形式，让观众能够理解信息之间的关系和信息主体，并使信息与参观环境发生对话。应通过展示环境的塑造，以及展示信息内容的设计规划、形式表达，在关注观众对于展示内容解读能动性的同时，利用设计形成一场有高度、有层次、艺术化的信息建构行为，为观众的理性认知和感性体验建立连接。

1.2.2 研究视角

（1）文化视角

文化是一种源于社会、具有综合意义的规律，从文化的视角能够洞察许多原来无法看清的现象。我国《现代汉语词典》（第 7 版）对文化的定义如下：“①人类在社会历史发展过程中所创造的物质财富和精神财富的总和，特指精神财富，如文学、艺术、教育、科学等；②指运用文字的能力及一般知识；③考古学用语，指同一个历史时期的不依分布地点为转移的遗迹、遗物的综合体。同样的工具、用具，同样的制造技术等，是同一种文化的特征，如仰韶文化、龙山文化。”

文化是综合国力的重要组成部分，文化发展有助于民族力量的凝聚、民族精神的传承。对全面建成小康社会的中国来讲，国家和民族也需要依靠社会各个方面的文化力量进行稳固发展。从文化视角看待研究问题，已经成为满足广大人民群众的切实生活需求、促进人民素质的提高和关注人的全面发展的基本要求。

首先，大学与文化具有天然的联系。大学本身在社会先进文化的研究和建设中有重要的推动作用。当代大学承担了培养拥有正确世界观、人生观、价值观以及具有创造精神和实践能力的人才的重要使命，而文化育人就是其重要途径之一。大学是人类社会发展的必然产物，它有继承、传承和创造文化的使命，促进文化继承者社会化、个性化、文明化，从而塑造健全的人、完善的人。因此在一定意义上，大学即文化。我们可以在外延上将大学理解为大学所有物质层面、社会制度层面的表象集合，同时在内涵上理解大学文化，即大学从物质层面、社会制度层面到精神层面的整体合一。因此，对于大学校史馆及其展示设计来讲，从文化的研究视角出发进行研究是必不可少的。大学作为国家和社会重要的文化教育机构，其各方面的发展都对国家和社会的发展有着至关重要的现实意义。同时，它也是培养优质人才的重要教育场所，其崇尚教育、维护高雅的浓厚学术环境也是大学校园整体规划的核心目标。这决定了大学内的景观建筑等场所不具有强烈的商业性，而具有浓郁的大学自身的文化教育属性和空间氛围。

其次，大学校史馆作为当代中国大学重要的文化教育基地之一，是基于对我国大学文化的传承、传播以及对新生的期盼而产生的校园文化空间。这也是在信息技术高速发展的今日，新时代人们所需求的文化展示空间。随着技术的不断发展，为了更好地契合当代以人为本的信息接收模式，同时充分发挥大学校史馆在传播大学文化中的社会作用，从文化视角对其展示设计展开研究，不仅顺应了当代跨学科研究的整体趋势，更能通过融合展示技术与文化研究视角，为大学校史馆的文化教育功能注入新活力，进而推动大学文化的创新与发展。

最后，在文化视角下对大学校史馆的展示设计进行研究，具有一定的创新性和延展性。本书从关怀大学文化的角度出发，对大学校史馆的展示内容进行分析研究；同时对于其展示设计，在注重展示空间、观众观看方式的前提下，关注到展示内容在展示活动中的重要性，借助文化研究中符号学等领域的相关知识，构建大学校史馆展示设计策略模型；通过展示设计充分地展现大学文化，并促进观众对于展示内容的信息交流，从而使其在展示活动中能够产生个体认同、对大学文化的集体认同；开展促进大学文化与观众共同成长的文化生态展示设计，为展示设计学科赋能，为大学文化传播与传承增效。

（2）文化记忆

从文化视角研究大学校史馆的展示设计时，本书以大学校史馆的展示对象——大学校史为核心，聚焦于大学文化记忆的展示设计研究。文化记忆理论的提出者是德国学者扬·阿斯曼（Jan Assmann）及其夫人阿莱达·阿斯曼（Aleida Assmann）。20 世纪 80 年代，他们从社会和文化向度上超越性地提出了文化记忆理论。扬·阿斯曼认为“文化记忆”就是一个社会全部知识的总概念，其有特定的交互互动模式，而这些知识引导人们的社会活动行为与体验，并需要一代又一代的社会民众进行反复了解和熟练掌握。在之后的理论论述中，他将文化记忆定义为每个社会和时代所特有的、重新使用的全部文字材料、图片和礼仪仪式的总和。通过对它们的关注，每个社会和时代都在巩固和传达自我的形象认知与表达。它是一种主要（但不仅仅）涉及过去的、集体使用的知识，而一个群体的认同性和独特性意识也依靠这种知识而建立。文化记忆理论可以总结为“社会交往出现了过度膨胀的局面，随之要求产生可以起中转作用的外部储存器”，这种外部存储器可以“使得需要被传达的、具有文化意义的信息和资料稳固地转移其中，伴随这个过程的还有转移、存储与重新调出等其他形式”。转向外部存储的文化记忆为抽象的、不牢靠的记忆提供了一种实在的、稳定的载体，通过文字、图像、纪念碑、博物馆等形式，文化记忆得以明确、稳固、开放地保留，为集体文化的建构打下了良好的载体基础。这也引发了后来学者对于文化记忆的媒介转向研究，以及对文化记忆的符号化设计表达的高度关注。

经过具体的文献研究，笔者一方面将文化记忆理论的内涵引入当代中国大学校史馆展示内容的分析中，另一方面将文化记忆理论中对于记忆媒介的关注和表达与展示设计相结合进行研究。

（3）符号学

符号学是文化研究的重要手段之一，同时，符号学在关于文化的设计转译、形式表达、设计解读和方法上更具有重要的方法指导意义。德国哲学家恩斯特·卡西尔（Ernst Cassirer）认为人是符号的动物。美国文化人类学家克利福德·格尔茨（Clifford Geertz）认为，符号是人类在劳动的过程中为进一步交际而逐渐形成的。符号的诞生与人的活动、文化密不可分。符号学思维下的符号运动过程成为笔者在搭建校史馆展示设计策略模型时重要的切入点。通过观照符号表达内容（大学文化记忆）、符号自身（大学校史馆），以及关于符号的解释（展示设计与观众），笔者搭建了具有对大学文化进行动态解释功能的设计策略模型。笔者对比了符号学界中瑞士语言学家弗迪南·德·索绪尔（Ferdinand de Saussure）的二元符号论，莫里斯从符形学、符义学和符用学角度开展的当代符号学结构研究，以及美国哲学家、实用主义创始人查尔斯·桑德斯·皮尔斯（Charles Sanders Santiago Peirce）的符号三分论，结合展示设计的实践过程，最终以皮尔斯的符号三分论为思考切入点，该理论关注对符号的解释以产生符号意义，并基于对解释的关注延展了符号三元传播模型，这与笔者关注大学校史馆中大学文化如何更好地以双向传播、交流的方式展示形成了密切的联系。

符号化设计思维对于大学校史馆的展示设计形式亦有重要的指导作用。符号化的设计能够带来有一定辨识度的、艺术化展现展示内容的设计形式，能够使观众亲身参与从感知、认知到生成思想上对展示内容的深刻认识或者反思阶段。但是对于大学校史馆而言，通过符号化的展示设计呈现大学文化，无论是将有形的文化成果再转化，还是对无形的大学文化精神进行艺术化设计表达，都需要观众兼顾以下两方面：一方面，能够对展示内容有明确的解读范围；另一方面，能够延展自己对于大学文化的理解，自发地感知展示内容并进行思想上的认识，然后对大学文化本身产生“文化交流”的反馈。因此，在这种符号化的设计策略的指导下，笔者认为应通过寻找文化群体的内部共识，通过符号化的转译设计，将文化记忆内容与其相连，构成展示一所大学独特文化的传播空间。

学者赵毅衡曾表示，人类文明通过符号得以延续，符号是教育的手段之一，通过符号化的表达——言语、姿势、示范等，最初的文明得以传承，而现代社会的教育亦是通过对各种知识进行“符号”化的传承而实现的。因此，符号化的设计思维，对于笔者构建大学校史馆展示设计策略，深入探讨大学校史馆展示关键元素关系，以及让观展者更好地对展示内容进行深刻认识与理解有着重要作用。

综上所述，从文化视角出发，将大学文化、文化记忆、符号化的展示设计策略与大学校史馆展示设计进行学术联动，以展示大学文化为内核，以大学校史、精神及成就等为外延，为大学校史馆展示设计提供了一定的学术理论支撑和更加广泛的学术视角。因此，本书的文化视角选择是基于大学发展的客观规律、大学校史馆从属大学的文化特性、社会时代背景需求和研究创新理念而确定的。

1.3 文献研究

本书的文献研究将围绕三大部分开展：大学校史馆展示内容及设计研究；将文化记忆理论引入中国大学校史馆；文化记忆中展示媒介的符号化研究。

1.3.1 大学校史馆展示内容及设计研究

大学校史研究是大学文化的重要传承路径之一，大学校史也是大学校史馆开展建设运营的基础内容，更是大学文化建设的核心输出内容。校史研究与大学校史馆的展示设计息息相关，因此，开展相应的理论研究也必然要从有关大学校史的研究出发。

笔者以中国高等教育学会校史研究分会每两年举办一次的校史学术研究会的论文投稿所汇编的《中国大学校史研究》系列丛书及内部资料为研究对象，对大学校史馆的一线工作人员所面临的不同方面的校史馆问题进行了研究和分析。从这一系列汇编内容的研究对象变化，可以感受到校史研究人员也在拓展研究视野和领域，注重校史研究的深耕细作及其成果的应用转化和传播方式的多元化，加强校史文化的服务意识，配合学校发展的不同阶段开展针对大学不同历史阶段的研究和宣传工作。校史研究中的新媒体传播转向、大学文化自觉在大学校史中的体现等都是当代大学修史的崭新面貌。对该系列丛书的研究表明，我国校史研究工作正在步入前所未有的发展新阶段，需要面对在国家和社会发展中，对大学校史研究提出的新要求与挑战，也需要创新工作思路和工作方法，开拓校史研究新格局，为中国特色社会主义大学和高等教育强国建设作出校史研究贡献。

2013～2015年是我国高等教育落实《教育规划纲要》和“十二五”规划的关键时期。中国高等教育学会组织编写的《高等教育改革发展专题观察报告（2017）》中，以“提升校志编纂质量，发挥文化育人功能”为题，以中国各大数据库和数据检索平台为依托，收集校志310种，并对其进行了全方位的研究和阐述，对高校校志研究编纂中关于挖掘校志“立德树人”的文化教育价值、抓住校庆这一特殊节日宣传校志蕴藏的文化、提高修志团队整体的专业素养等逐一进行了详解。这也为后文分析中国大学校史馆展示内容和设计区别于一般历史展馆的更新诉求提供了资料。

针对校史的相关研究，我国学者列平认为，大学校史文化不论是对大学生还是整个社会来说都是一种无法抗拒的浸染和熏陶，它既是发展和创新大学文化的必然结果，也是大学人为之努力与期待的目标。列平在其著作《透视：大学校史文化》中，把大学校史文化概括为：①大学物质文化；②大学精神文化；③大学制度文化。可以说，大学校史馆主要的展示内容正是在这三点上的升华设计。

亦有日本学者进行了涵盖日本、德国、英国、中国等国家的高校校史研究，展示了不论是何种国别、地域的大学，其大学文化、精神及其主体性都是校史研究关注的重点。这些学者认为，充分的校史研究可以知前因得后果，开展高校校史研究是为高校文化发展带来正确方向和动力的关键。这也进一步表明，校史馆是展现大学校史的核心场所，提升其展示设计品质、令其展示内容充分传播具有重要意义。

瞿锦秀基于对江苏省大学的考察，以其高等教育学的学术背景为依托，对百年大学教育遗产资源的整合利用与大学校园文化建设的重要性进行了充分的研究与总结，并遵循新发展理念（创新、协调、绿色、开放、共享），探索了教育遗产资源管理之道。相对于大学其他文化建设空间，如大学图书馆、大学教学空间，甚至是大学校园整体的规划，当代中国大学校史馆虽然在展示手段上尽显其力，但是就同类大学博物馆或是社会上的历史博物馆而言，大学校史馆并没有相应的学术研究热度，研究成果也多是配合大学特殊节庆活动下的具体设计方案探索，或是针对大学校史馆展示设计中某个具体设计环节进行设计方案探讨。关于大学校史馆非大学博物馆这一问题，笔者也对部分大学校史馆运行负责人进行了访谈，得知主要原因是大学校史馆中的实物展示大多为复刻品，因此从国家到行业统一制定的规范上来讲，对于场馆空间建设本身的定级较低，这在一定程度上影响了大学校史馆的建设经费和场地规划。因此，一所大学校史馆的总体建设规划，往往取决于大学本身对于校史馆的建设认识，这也是造成近40年来我国各大大学校史馆建设水平不一的原因之一。笔者在查找相关学术资料时还发现，缺乏从大学校史馆这一大学文化建设机构出发，并具有整体视野的展示设计策略指导。根据笔者调查，在已有的相关研究成果（以期刊论文、硕士论文为主）中，对于大学校史馆的综合研究或具体设计方案研究可根据研究侧重点分为以下两种类型。

（1）综合研究

顾佳燕在档案学的学术背景下，将我国大学校史馆的建设发展过程划分为萌芽、初步发展和快速发展三个阶段。范明从大学档案馆建设出发，探讨了大学档案馆与大学校史馆之间的密切联系，依托“海南大学校史馆建设”，探讨了大学档案馆建设校史馆所具备的充分条件和必然使命。

东南大学档案馆研究人员刘云虹认为，校史通过回忆、叙述或重构来强化关于认同的记忆，传递学校的文化价值规范，以实现大学人对大学文化的认同。在这个过程中，历史记忆发挥着一种新样板的作用。大学校史馆所展示的校史是一种具有社会结构的历史记忆，它不仅出于保存学校历史的需要，也不可避免地带有强烈的现实色彩，会受制于社会的主流价值，以及经济、政治与文化状况，受到社会、学校权力关系的影响，服务于学校文化稳定性的维护，对当下主流价值观的塑造和社会教育有促进作用。刘云虹从大学文化记忆的崭新角度阐释了大学校史馆展示设计研究的重要意义，也为笔者从文化视角运用文化记忆理论开展大学校史馆展示设计研究奠定了一定的基础。

（2）案例分析

图文并茂的实践案例分析有助于设计工作者对校史馆建筑、展示空间有直观认知与理解。通过对不同大学校史馆的描述，分析其内在的展示设计方式和研究视角，有助于找到大学校史馆展示设计的不同切入点，并通过这些实践经验来指导当下的实践，为其他设计工作者提供帮助。在这一部分的调研中，研究者针对自己所在大学的大学校史馆开展具体设计研究，围绕某一种展示空间设计手法，针对具体的大学校史馆展陈空间的条件展开设计实践或者设计策划。其中以下两位研究者的研究对于本书具有一定的参考价值。

秦嘉煜以亲身参与的清华大学校史馆建筑设计为例，开展了关于大学校史馆产生和发展概况的探讨，并通过对国内部分大学校史馆的规模、内容、功能、建筑设计、场地设计、展陈设计进行调研，着重分析了校史馆类建筑在利用历史建筑上特有的建筑处理手段，发现了我国现阶段大学校史馆建设中存在的误区和问题。最后，其以清华大学校史馆建筑设计项目的发展脉络为例，进行了清华大学校史馆建筑设计项目的梳理。朱绍瑞提出，校史馆展示空间主题之中的叙事性，是指通过恰当的叙事行为方式呈现展示空间所要表达的主题内容以及串联校史馆各部分之间的骨架，他的研究是以文学作品叙述的语言形式及结构传达校史馆展示空间中所要传述给观众的意象研究。

就笔者对国外大学校史馆案例的调研情况而言，由于国外鲜少有像我国一样集群式发展的类似空间，因此关于国外大学校史馆展示设计的研究案例极少。笔者在相关文献和访谈调研中发现，国外大学校史文化的展示以大学校园的整体景观规划、大学校园建筑等为主，区别于我国大学校史馆具有明显的聚集型历史展示内容，整体呈现为弥散式的展现方式。

1.3.2 将文化记忆理论引入中国大学校史馆

上述文献调研中已经提到了文化记忆与校史研究之间的联系，笔者由此对其进行了更加深入的学术研究。文化学对于记忆的研究是将记忆看成一个和文化、历史等范畴紧密相连的概念。记忆连接了过去、现在和未来，个人记忆是集体记忆的重要组成部分，同时受到记忆生产所处的社会与文化环境的影响。法国社会学家哈布瓦赫的“集体记忆”研究对于阿斯曼夫妇开展的“文化记忆”研究具有重要意义，两者之间的理论区别体现了从社会心理学到文化研究范畴的视角转变。文化学跨学科合作的研究方式使得记忆作为一个社会文化现象得到研究成为可能。同时这体现了20世纪德国成为文化记忆研究的关键领域源于学者对于战争记忆文化视角下的时代反思，并且在文化记忆的研究中，展示了文化记忆传承对于媒介依附的需求。

将文化记忆理论引入大学校史馆展示内容与内涵的研究后，笔者发现：文化记忆的传承与传播本就需要依附媒介，而展示设计恰恰是借助媒介实现展示主题内容的信息交流与传播——这一特性上的契合，使文化记忆理论为从文化视角研究大学校史馆展示设计提供了极为适配的路径。

在知网中对“文化记忆”主题进行搜索，涉及文化记忆、集体记忆、文化认同、非物质文化遗产等方面的研究。从图 1.5 中的文献总体趋势图可以看出，我国对于“文化记忆”这一理论方向的研究逐渐增多，随着时代的发展，社会越发重视不同领域中对过去记忆的追溯和审视；文化记忆也应用在诸多学科和主题领域中，呈现出极强的跨学科研究黏性的优势（图 1.6、图 1.7）。同时，笔者还比对了“文化记忆”“校史文化”“校史馆”近年来的分项研究趋势，有关“文化记忆”的研究明显多于其他两项（图 1.8）。

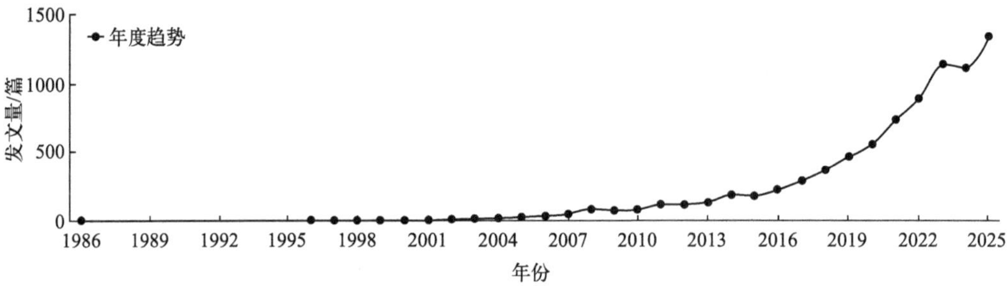

图 1.5 “文化记忆”知网文献总体趋势图

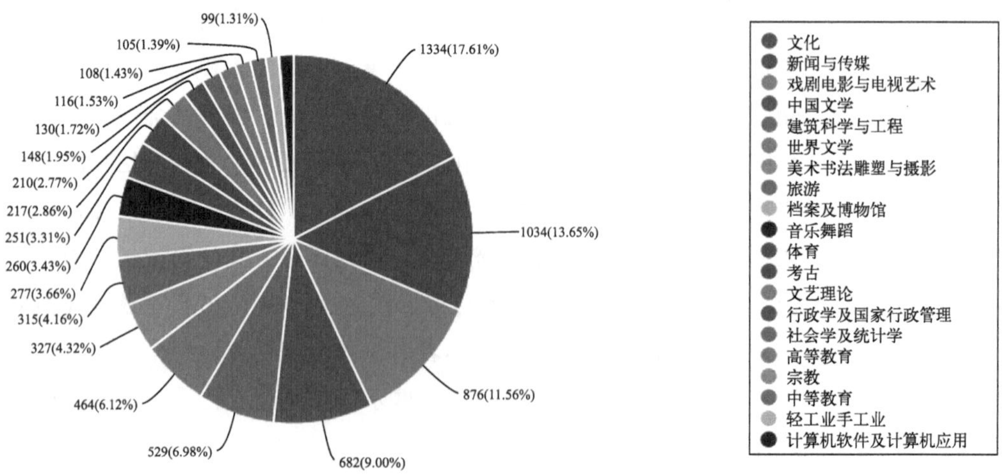

图 1.6 “文化记忆”知网文献研究学科分布图

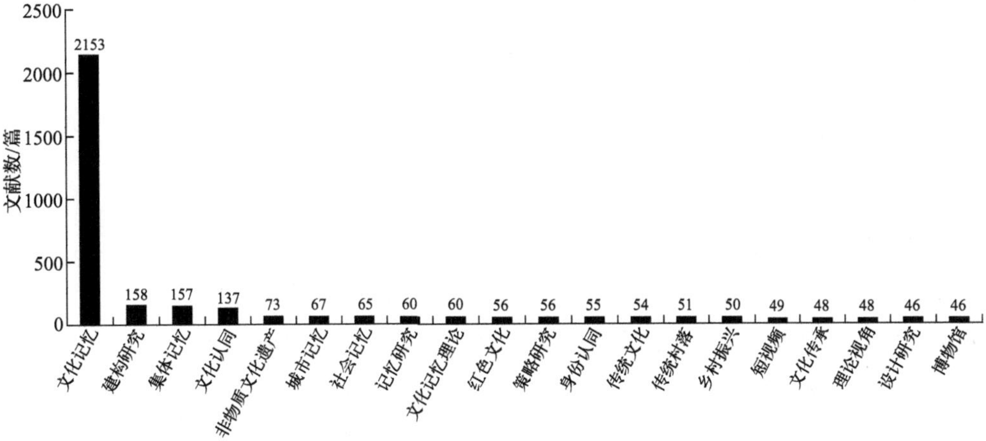

图1.7 “文化记忆”知网文献主要主题分布图

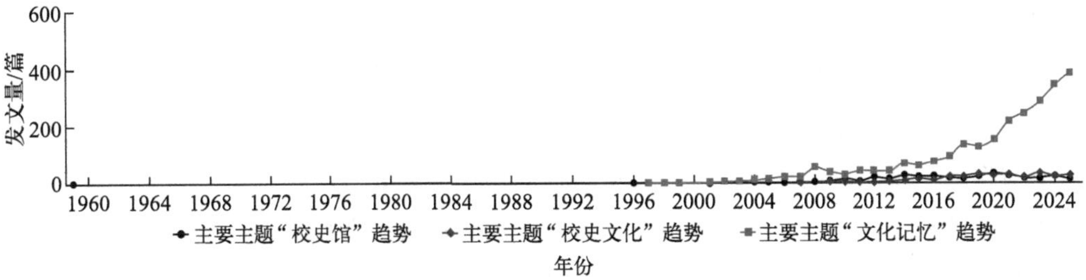

图1.8 “文化记忆”“校史文化”“校史馆”研究知网文献趋势对比分析图

目前与“艺术”“历史”等主题相关的文化记忆研究已经具有了一定的研究成果，但是将文化记忆与展示设计相结合的研究仍较少，将文化记忆理论与校史相结合的文献更为稀缺。基于对文化记忆理论和中国大学校史馆展示内涵、内容等相关信息的研究，笔者认为这两者之间的学术关联性是极强的。文化记忆展现了当下对历史的重构，以期实现文化认同、集体认同，这与大学校史馆希望通过深入挖掘大学校史从而带来内涵力量的目标一致。同时，文化记忆的媒介转向，需要媒介对历史进行稳定的传承与传播，这与大学校史馆展示大学校史的目的亦有异曲同工之妙。因此，笔者在后续的研究中将两者对大学校史馆展示内容的研究进行了有机结合。同时，文化记忆理论呈现出极强的媒介依赖属性，并且媒介的选择与文化记忆本身所处社会环境的媒介技术与文化有极强的联系。笔者认为在学术研究上，文化记忆的媒介附着与传播体现了其对展示设计学科特色的需求，因此接下来将进一步阐述文化记忆理论的研究脉络，并主要偏向于文化记忆的媒介研究方向。

关于文化记忆理论研究的开展，笔者主要以文化记忆理论的提出者，即德国学者阿斯曼夫妇为开端进行研究。阿斯曼夫妇在两人的著作中阐明了文化记忆理论的核心框架，并充分论证了文化记忆研究的媒介转向。阿莱达·阿斯曼的《记忆中的历史：从个人经历到公共演示》一书对笔者进一步拓展文化记忆的展示设计研究起到了十分重要的作用。在该书中，阿莱达以德国人对纳粹历史的记忆、情感、态度和认知角度进行了阐述，同时对文化记忆的历史展示媒介、方式进行了梳理。

英国拉夫堡大学的媒体与记忆研究教授艾米莉·凯特利（Emily Keightley）、以色列海法大学传播学副教授奥伦·迈耶斯（Oren Meyers）等人也对文化记忆、媒介与战争进行了探讨，体现出当代学者对于战争文化记忆留存和再认识的敏感度。由此，当代社会中也出现了大量经典博物馆、纪念碑等对于文化记忆的设计实践案例。名古屋大学教授安川晴基（Haruki Yasukawa）提出，在文化记忆系统中，媒介或相关实践行为都对文化记忆的建构有重要影响。英国学者沃特金斯在其文章中讨论了文化生态建构问题，他关注了文化记忆在外部符号储存系统中进行通信与保存的现象，他认为，符号文化的首要作用就是成为人类认知文化发展的核心。同时，荷兰阿姆斯特丹大学比较传媒研究院教授何塞·范·迪克（José van Dijck）等国外学者更多地将对于文化记忆媒介研究的目光拓展到了数字媒介如网络平台等方面，探讨了文化记忆在新媒介中的展现与意义。

德国法兰克福大学英美文学与文化系教授阿斯特莉特·埃尔（Astrid Erll）出版的专著亦对本书产生了指导性的学术影响。一方面，其帮助笔者加深了对于文化记忆理论的理解，厘清了记忆的维度、集体记忆与文化记忆相互之间的关系与区别等理论知识。另一方面，阿斯特莉特汇集了 41 位当代文化记忆理论研究领域一流学者的作品，跨越了多种学科，精选文章汇编成书。该书对与文化记忆相关的基础概念进行了全方位的整合与呈现，尤其是书中第一编“记忆之场”与第六编“媒介与文化记忆”，对本书中大学校史馆作为大学文化记忆之场的相关研究有着推进作用。而关于文化记忆之场的研究，则以法国学者皮埃尔·诺拉（Pierre Nora）的研究最为著名，他的著作《记忆之场——法国国民意识的文化社会史》汇集了法国集体记忆史研究成果，收录了 130 个记忆场所的词条。诺拉对不同形态的记忆场所进行了深入研究，探讨了其与民族记忆之间的关系，并将其与民族、国家认同感和归属感相联系。

国内学者对于文化记忆的研究，也多从阿斯曼夫妇的文化记忆理论、文化记忆的媒介和文化记忆在不同案例中的应用等研究出发。我国进行文化记忆研究的学者主要有王霄冰、陶东风、金寿福等人，他们关注文化记忆理论的基础研究，包括以文字为主的媒介对于文化记忆的重要意义，以及文化认同、识别等问题。康澄、赵静蓉等人则关注到了阿斯曼夫妇的文化记忆理论与符号学的关系，探讨了文化记忆中文化符号、象征、叙事等相关学术研究，对笔者在本书中引入符号化思维的策略与设计研究有着重要意义。刘慧梅和姚源源则对我国近20年的文化记忆进行了研究，其在文章中概述了文化记忆理论与不同媒介之间的研究关系，对于笔者拓展文化记忆理论媒介的思考具有一定的参考意义。张欣、谭晓静、李巍、叶蔚春等研究者主要关注文化记忆理论中对记忆、文化认同、集体认同等的学术研究。而邵鹏、陈虹虹等则展开了关于文化记忆和媒介、场所空间设计的学术研究，其研究成果亦为本书中的文化记忆在校史馆展示空间中的设计研究提供了从内容分析到策略理论的支持。

从这些专著或文章中，笔者深入地了解了文化记忆理论的基础知识，进一步扩展了对大学校史馆展示内涵的研究。更重要的是，笔者看到了文化记忆理论媒介研究在设计领域的发展潜力，同时，已有相关学者在不同媒介中将文化记忆或记忆理论与媒介设计相结合进行研究，为笔者关于展现大学文化记忆的大学校史馆展示设计研究提供了具有学术价值的参考。在这些学术研究中，文化记忆表现出了在记忆产出时代和记忆被展示时代中对人造媒介的需求，同时这种需求也来自人们对于历史文化延续的客观需要。笔者认为，大学校史馆正是当代中国大学文化记忆所依附的重要媒介平台，是可以留存和发展中国大学文化记忆的物质形态。从文化视角看待我国大学校史馆展示设计的研究，一方面，将文化记忆理论引入大学校史馆中，有助于对展示内容和内涵研究新视角的挖掘，另一方面，文化记忆、媒介、文化符号这三者之间的天然联系，有助于更好地探寻大学校史馆中大学文化记忆媒介与展示设计之间的关系。

1.3.3 文化记忆中展示媒介的符号化研究

（1）文化记忆与媒介设计

通过研究文化记忆、记忆与空间等媒介之间的关系，英国学者弗朗西斯·叶芝探索了西方记忆术的起源与发展，将记忆的研究与空间场景紧密地连接起来。笔者在更加偏向空间研究的建筑理论中探索了记忆、文化记忆与空间媒介的关系。美国建筑学者肯特·布鲁姆认为，人的感受来源于社会文化环境，而人类身体的情感空间也是具有社会属性的。空间就像身体一样汇集着记忆，并使记忆仪式化，空间更新着人们对于过去居住世界的记忆。

我国一些学者将文化记忆或记忆理论与中国城市建设、乡村景观规划以及建筑设计进行了深入结合，为笔者将文化记忆理论引入中国大学校史馆展示设计研究带来了方法层面的研究思路。

赵坤认为，城市是由各种建筑和空间的想象与文化记忆构成的，他结合空间叙事与空间中的权力机制，探索了城市中建筑、景观、空间、符号等文学层面的互动关联。文字是其主要研究的媒介载体，为笔者拓展了文字作为媒介承载记忆能力方面的研究，从而引发了笔者对于空间媒介能力的再思考。邓庄则将文化记忆融入乡愁城市记忆的研究中，他对城市文化记忆的组成、空间与媒介互构的学术探讨与理论思考，对笔者针对校史馆展示空间的媒介化研究有一定的启发作用。程炎焱从记忆理论视角出发对当代文化建筑叙事空间的设计进行了研究，探讨了记忆理论与建筑叙事之间的关系，拓展了笔者从心理时间、物理时间以及双重时间看待记忆叙事空间设计结构的思考。而汪瑞霞从中国乡村空间的乡愁（文化记忆、记忆之场）角度出发对中国乡村景观规划设计进行了深入探讨，其文章中关于符号学设计方法的运用，为笔者进行大学校史馆展示策略与设计符号化研究奠定了一定的基础。

结合上文可知，文化记忆研究与战争记忆、创伤记忆之间有深刻的联系。笔者在研读大量涉及该类型文化记忆展示设计的文章后发现了更加侧重展示设计的与文化记忆相关的文献研究成果。如张程远、王志阳、张丹丹等研究者的文章中，通过对柏林犹太人纪念馆整体建筑和展示设计的研究，体现了设计师在设计博物馆建筑内外空间时，以符号的设计形式和设计策略处理战争创伤记忆的策略，他们利用抽象形态将过去的惨痛历史带入现代理解语境中，并通过对空间节奏、空间材质等的掌握，为观众带来情感化的设计体验。李红涛、黄顺铭针对不同的媒介场景，分析了创伤记忆在主流媒介、纪念馆和线上纪念活动中带来的创伤类文化记忆的聚集与再扩散，引发了笔者对大学校史馆作为官方媒介展现大学文化记忆的重要意义和在具体设计时应遵循尊重历史记忆的设计原则的思考。

这些设计研究除了能够引发笔者对于文化记忆媒介形式设计的深入研究，以及利用展示设计对文化记忆进行再设计的形式表达，还通过展示设计文化转译的设计思维，与文化记忆理论本身关于符号学的思想产生了一定的联系。如前面提到的，学者康澄等人对文化记忆理论在符号学领域展开了研究，阿斯曼夫妇也曾表示，记忆一直就是一个给某事物赋予意义的符号化行为。在这些设计研究中，研究者都强调利用某种文化符号形式，将观众与文化记忆内容本身和它所代表的内涵精神进行联系，从而唤起观众内心对于文化记忆的深刻认识，同时这也是对文化记忆本身在这个被解读时代的留存。因此，笔者进一步探索文化记忆与媒介符号化之间的联系，并通过展示设计进行文化记忆内容和内涵释放的研究。对此，笔者一方面进行了符号学知识与设计学结合的文献研究，另一方面则根据文化记忆媒介与展示设计传播信息，进行了关于文化传播中的符号化设计思想的研究。

（2）设计的符号化

首先，符号学与设计学、展示设计本就有着深刻的学术研究联系。符号作为一种人工信息，承担着人类日常交往活动中传递信息的作用，是人类交流的载体。符号也承担着人类社会交往的意义传达作用，它是价值的载体，符号的含义表达了使用者的信仰观念。符号也是科学技术的载体，是具有时代性的各种知识的表达。徐恒醇系统阐述了符号学在设计学科不同领域的应用研究，同时系统地总结了语言符号学、广义符号学和艺术符号学的相关学术知识。张宪荣在研究中阐明，引入符号学是为了解决设计认识论和设计方法论的问题，他通过对设计编码、设计符号功能、符号系统以及结合索绪尔符号二分法对设计符号形式和功能的讨论等，进行了相关设计学与符号学相互融合的学术研究。胡飞在《工业设计符号基础》一书中，将符号学的两大流派“索绪尔语言符号学”和“皮尔斯逻辑符号学”的相关知识与具体工业设计实践进行了结合。张剑通过符号学知识的综合运用构建了产品设计符号学系统化的详细论述。这些研究对笔者将皮尔斯符号三分论作为展示设计实践的理论延展具有一定参考意义。通过以索绪尔和皮尔斯为代表的具体设计中符号学的运用，结合笔者针对本书中大学文化记忆、大学校史馆、展示设计媒介和观众解读等相关要素比对研究以及设计实践的思考，笔者将这种符号化的思维引用锁定在皮尔斯的符号三分论分析方法中。其有别于索绪尔的二元论分析，但针对展示设计的实操，两者都更加关注解释意义的重要性。在大学校史馆关于大学文化的展示设计中，笔者认为观众能够通过展示设计加深对于展示内容——大学文化的理解，从而真正实现大学校史馆的大学文化信息交流功能。

符号学发展至今，国内外从事相关研究的学者极多。因此在宏观符号学知识方面，在此主要提及具有代表性的以及对本书具有重要意义的研究。赵毅衡、王铭玉两位学者是我国当代著名的符号学家。赵毅衡在符号学领域研究成果丰硕，著有系列著作和若干研究文章，其中《符号学原理与推演》一书是本书的重要参考资料之一。该书作为当代应用符号学理论分析文化的典范，详细论述了符号学的发展理论基础，并建立了一个可用于分析人类意义活动的符号学体系。王铭玉同样拥有多部关于符号学的著作以及多篇相关研究文章，其著作《符号学思想论》中，王铭玉以“国家—流派—代表人物”的总体研究思路，清晰地总结了符号学在各个国家、各个学派中的发展脉络，对于笔者开展皮尔斯符号学的研究具有重要的指导意义。

关于皮尔斯符号三分论的研究和应用，近年来呈现出学术回归的趋势，这源于皮尔斯关注符号运动过程中解释的意义和能力，并与当下社会关注以人为本的社会价值观有着密切联系。赵星植是研究皮尔斯符号学的主要学者之一。张彩霞、季海宏等学者亦针对皮尔斯符号学的思想进行了深入的探讨。研究皮尔斯符号学的学者主要提出了皮尔斯符号三分论中关于符号运动的三元素（符号、对象、解释项）组成对于符号表意分析的重要性，以及皮尔斯注重符号运动产生符号意义的过程而非符号本身，同时也都关注到了皮尔斯符号三分论中解释项的解释可以令符号意义无限延展，但通过三元素之间相互制约、相互作用，可以产生具有明确解释方向的符号运动。

王志亮、梁建飞、林志伟等人结合设计实践，对皮尔斯符号三分论进行了相关的设计分析策略应用研究。同时，笔者在深入研究皮尔斯符号三分论及其适用领域时发现，皮尔斯符号三分论在传播学中也具有明显作用。刘瑞雪、汤筠冰等人在研究中发现了皮尔斯符号三分论中开放的、动态的符号运动过程与传播学之间的必然联系。这也有助于笔者将皮尔斯符号三分论进一步应用到大学文化在大学校史馆展示中，让大学文化达到一种动态的文化传播状态，通过展示设计构建带有符号传播学思想的大学校史馆，丰富展示设计在大学校史馆中的文化传播作用的理论研究。

（3）文化传播中的符号化思维

康澄是为数不多在符号学领域深入研究文化记忆的学者。他在研究中指出，以著名文化符号学家尤里·洛特曼（Ю.М.Лотман）为代表的塔尔图符号学派提出的文化记忆研究将文化视为一个符号系统，揭示了文化记忆保存、创造和遗忘信息的内在机制，阐明了不同类型文化记忆的特征，提出了“象征”是最适宜担当文化记忆职责的符号元素。同时，塔尔图符号学理论对阿斯曼夫妇的文化记忆理论研究也有着深刻影响。洛特曼将文化看作信息，认为人类创造符号是为了传达、记忆与创造意义，文化则是人类借助符号来传达、记忆和创造意义的高级活动。可以看出，笔者所关注的文化记忆理论本身便含有强烈的符号化哲思，这进一步推进了关于文化传播符号化的理论研究，其中，强调符号意义的解释且具有传播交流特性的皮尔斯符号三分论对笔者后续的理论研究有着重要的指导意义。

根据赵星植的研究，皮尔斯在与友人的一封通信中确立了其“三元传播模式”。皮尔斯认为一切思想都源于符号，而符号学研究的根本目的就是探究符号传播的规律与机制。皮尔斯三元传播模式以其开放的体系、高度的概括性与抽象性、关注人对符号的认知过程与特性，为当代传播学理论研究提供了符号学方向的助推力。在皮尔斯三元传播模式的解释项中，解释并不是单项存在的，而是在符号表意过程中拥有信息发送者的解释、信息接收者的解释以及他们的共同理解。在这一信息传送和理解过程中，皮尔斯提出了关于符号解释的“共同社群”这一重要概念，只有解释双方享有共同的文化认知，才能对符号意义进行更准确的解读（图 1.9）。这对于笔者围绕大学文化打造大学校史馆，从而保持大学文化展示的独特性和解释文化群体的限定性，具有极大的推进作用。大学校史馆有别于社会层面上其他文化展馆的开放程度，其核心服务对象是大学人，因此，一所大学校史馆的展示形式越具有自身群体文化的特征，就越能够契合特定文化群体的设计需求，也就更加有助于一所大学校史馆建立具有自身文化特色的展示设计形式。同时，这种理解的信息差还可以引发观众的学习兴趣，促进其对展示内容的思考。因此，利用皮尔斯的三元传播模型，笔者可以更好地将展示设计与观众这两个作为皮尔斯符号模型中“解释项”的关键研究元素置于展示传播策略模型的搭建中。

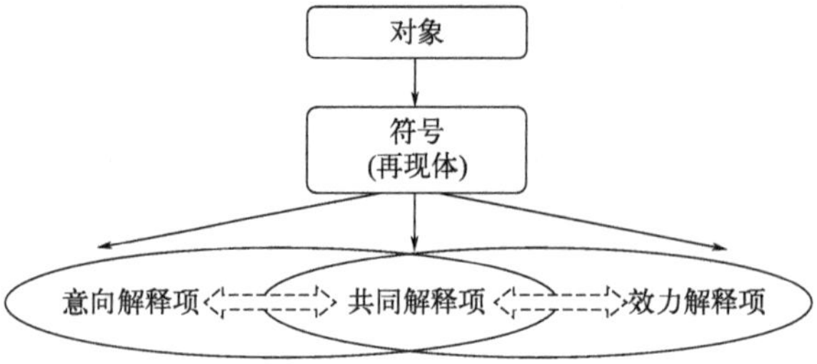

图1.9　符号传播过程中的解释项关系

经文献研究，区别于传播学一系列经典模式，皮尔斯的三元传播模式展现出更加具有沟通属性的特点。例如，1948 年拉斯韦尔提出的线性传播 5w 模式和 1949 年韦弗和香农提出的香农 – 韦弗模式（图 1.10、图 1.11），作为传播学两大经典传播模式，它们都未能体现出传播主体——人的互动特征，即都是单向的信息传送。也就是说，这些模式不能考虑到在展示设计或文化记忆信息的交流中观众（即人参与信息传播）的重

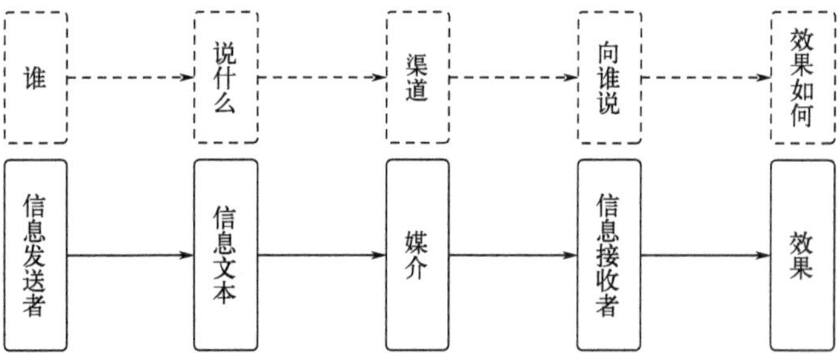

图1.10　拉斯韦尔的线性传播5w模式

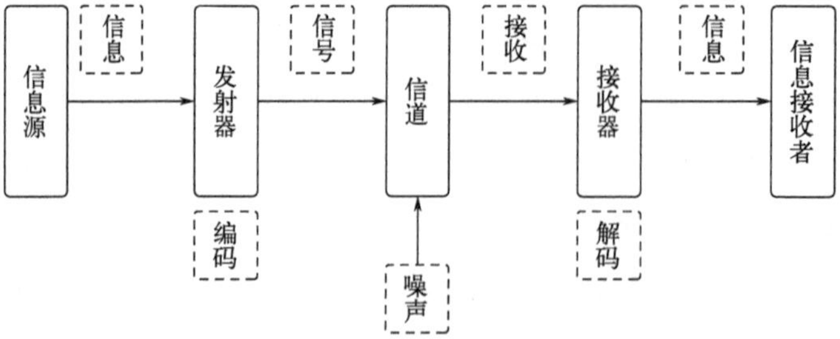

图1.11　香农和韦弗的香农–韦弗模式

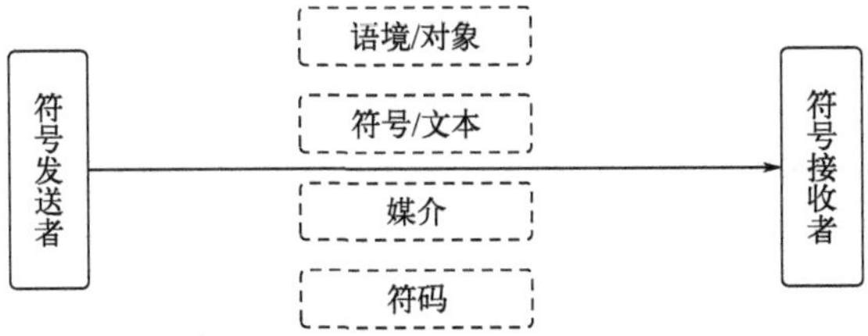

图1.12　雅柯布森的语言符号传播模式

要性。同时，在符号立场考察传播模式的学者雅柯布森于1960年提出了语言符号传播模式，他的模式更加关注意义和信息的内部结构问题，这也对笔者在研究中深入剖析文化符号传播的内在机制有一定的启发（图1.12）。

在学习传播学和符号传播学的过程中，笔者通过关注文化信息、意义在传播过程中所依附的媒介，对其有了更加深入的了解。在媒介与信息传播领域，马歇尔·麦克卢汉（Marshall McLuhan）是传播学者、媒介学者的重要学习对象，他提出了“媒介即人的延伸”这一理论，探讨了技术对媒介发展的影响及其与人类文化传播之间的关系。而在西方媒介与地理学代表人物保罗·亚当斯的影响下涌现出一批学者，他们关注媒介与人文地理学之间的关系，提出了媒介在地缘经验的影响下与地方意象、地方文化之间相互作用，生成了空间中的媒介、媒介中的空间、地方中的媒介、媒介中的地方这四个传播象限。这些观点引导本书关注媒介如何体现文化传播语境，以及从媒介传播的角度认识媒介空间观。基于对媒介特性以及媒介在传播维度的进一步认知，从丹麦传播学者克劳斯·布鲁恩·延森（Marshall McLuhan）以及我国传播学者杨溟等人在媒介多传播维度的融合研究中可以发现，媒介融合一方面是社会发展、技术支持所带来的社会现象，另一方面是适应当代人们对于信息接收多种维度的传播关怀，从而促进了当代文化信息多样性的全面传播与交流。同时，莫梅锋、胡巾煌等人的研究中介绍了媒介结合设计以及多维度传播的发展趋势，通过对人综合感官的设计关怀以及使人参与到媒介传播信息的过程中，能够令信息在传播过程中为文化传播效力带来延展的可能性。

大学校史馆作为大学文化的展示空间，集合了人、时空观念、教育功能等综合性的大学文化。单纯从展示大学历史的角度研究大学校史馆展示设计，尽管注重了对大学文化历史全貌的线性展示，但是在内容上缺乏对大学文化特色的深刻挖掘，同时也忽略了挖掘大学校史馆展示内容的深层含义，因此容易使大学校史馆展示设计停留在设计形式表达层面，造成“千馆一面”的展示设计僵化现象。大学校史馆是大学文化的展示场所，通过文化记忆理论的引入，能够在展示内容上更好地挖掘不同大学文化记忆所带来的大学历史文化意义，并且能从文化视角将文化记忆理论研究引入当代中国大学校史馆展示设计的研究中，将展示媒介符号化的设计趋势与媒介传播有机结合，这将会是一次跨学科的研究探索。

在文化视角下，本书将以大学校史馆作为大学文化记忆的载体，结合设计学、符号学等相关理论，开展展示设计策略与方法的研究。作为大学文化记忆媒介的大学校史馆，带来了具有媒介融合共生特质的展示空间，并通过符号化的设计思维，成为大学文化记忆符号化的表意结果，是让大学人和观众能够在一个集中展示大学文化的平台中充分交流的空间。通过展示设计和展示内容的深度作用，唤醒观众的集体无意识，促进以大学人为核心的展示观众在大学校史馆中寻找个人文化定位、集体文化认同，这将有利于大学文化生态化发展，令观众与大学文化共同生长。大学校史馆关于大学文化记忆的展示设计过程，同时也是当代大学文化记忆的建构过程，是当前时代的大学对于过去大学文化的缅怀、解读、理解与学习，也是为大学未来的发展集中积累大学文化的过程与结果。因此，开展对大学校史馆展示设计策略与方法的研究，对于当下文化教育兴国、特色大学文化的传承与建设具有一定的理论研究和实践应用意义。

—第2章—

当代中国大学文化在校史馆中的展示设计研究缘起

2.1 大学校史馆的分析与研究

2.1.1 中国大学校史馆的发展历史

（1）大学校史与大学校史馆

当代大学校史馆主要是围绕大学校史展开的一系列文化层面、物质层面和精神层面的展示。其中，中国大学校史馆建设呈现出一些具有代表性的现象，大学校史馆的诞生与大学校史的研究是密切相关的。

中国近代大学教育发展至今大多不足百年，并且在早期社会动荡的背景下，中国大学的兴办颇受影响，而大学校史的研究和史料的积累也需要大学经过长时间的沉淀才能有聚焦性的成果。因此，中国大学校史的研究和编写，随着改革开放的进程，在20世纪80年代中期得到恢复并逐渐展开。自1984年开始，根据教育部的通知，有较长建校历史的高校开始成立校史编辑室。清华大学校史研究室建于1986年，是我国最早设立的独立校史研究机构。1988年，我国成立了“高等学校校史研究会”。2002年，其更名为“中国高等教育学会高校校史研究专业委员会”。2003年12月，中国高等教育学会发文正式核准名称为“中国高等教育学会校史研究分会”。

当今，我国大学校史研究进入了具有丰富成果、需要发展的新阶段。随着国家对文化软实力的进一步关注，大学校史带来的力量也受到各大高校的普遍重视。经笔者调研，中国大学校史馆的学术研究团队在各界的关注以及大学的积极推进下，更加专业化、年轻化、丰富化。大学校史馆的管理层通常与大学档案馆的关系密不可分，通常大学校史馆馆长与大学档案馆馆长为同一人，这样的管理制度为大学校史馆展示内容的收集带来了一定的便利，同时也充分调动了中国大学档案馆馆藏内容的活力。

中国近代大学的教育模式受到西方影响，因此校史研究并不只存在于中国，以英国牛津大学为例，其校史本身就堪称西方大学文化研究的一项重要成果。然而，在校史的展现形式上，因基于不同的大学管理制度和组织框架，西方大学通常会将关于大学历史文化的展示依托于档案馆、图书馆以及各研究所等机构。笔者在调研中发现，德国海德堡大学、意大利米兰理工大学以及韩国多所大学也拥有一些类似大学校史馆的展馆、展示场所或装置，但是从各国整体数量上来看，中国大学对于校史馆的建设呈现集群式的发展现象。大学发展的历史必然会有长有短，因此本书首先将研究对象聚焦于当代中国大学中具有一定代表性的大学的校史馆，以期让本书研究更加具有未来的延展性。

中国大学校史的研究工作已经由从无到有的普及阶段，发展到现在面临校史资料的使用转型和研究深化的阶段，产生了校史精品成果和广泛的影响。如今，应让大学校史走出校门、走向社会，从而更好地服务于大学文化建设，助力于弘扬中国大学文化力量，树立文化自信、文化自觉，促进国家民族文化的发展。

（2）中国大学校史馆的发展

上海交通大学校史博物馆是我国最早建设的大学校史馆，其坐落于1919年落成的徐汇校区老图书馆，该校史馆于1996年上海交通大学百年校庆时落成，同时该馆也为我国利用大学历史建筑建设校史馆树立了榜样。尽管笔者在后期的校史馆考察中发现，校史馆的建筑选址或者展示场所并不能完全按照“大学历史建筑展选址”这样的传统进行，但是这样的做法仍然为我国大学校史馆的建设提供了重要参考。作为校史馆建设的先行者，上海交通大学在2016年120周年校庆时进行了老馆改造，于125周年校庆之际，在上海交通大学的闵行校区还成立了第二所校史馆，成为我国为数不多的一所大学拥有两所校史馆的范例。

结合我国教育部、财政部以及国家发展和改革委员会于2017年发布的《统筹推进世界一流大学和一流学科建设实施办法（暂行）》，以及三部委于2022年2月发布的《第二轮“双一流”建设高校及建设学科名单》，本书对其中所提到的高校进行了大学校史馆基础调研，并对2017年发布的《关于公布世界一流大学和一流学科建设高校及建设学科名单的通知》中公布的42所一流大学建设高校进行了进一步调研。研究发现，我国大学校史馆的成立虽不一定与大学建校时间的长短有直接联系，但其展馆设立和设计更新、内容增补等与大学的重大庆典（如百年校庆等）具有一定的联系，在对最初公布的42所一流大学建设高校的调研中发现，每逢120周年、110周年、100周年、90周年等校庆时期，均会有不同频次的校史馆建设或更新设计任务。同时，大学校史馆的建设或改造工程也与国家形象建设工程、国家推动大学发展等国家和社会层面的动态相关。近年来，每逢国家举办重大活动、庆典之际，国家形象建设工程、展示项目的开展频率就会显著增加。国家对于文化形象传播的重视，也促使各高校开始重视大学文化形象建设。

20世纪80年代，我国掀起了关于大学校史的学术研究热潮，同时，关于我国历史悠久的书院文化研究也被频繁提及，呈现出一定的学术繁荣景象。研究表明，早在古代书院时期，就已经出现了类似大学校史馆的空间，一般是在书院中用于供祀的殿堂或专祠，这亦是书院的重要特色之一。由学者创建的书院多以供祀本师为主，如朱熹之祀李侗；地方为纪念先贤而建的，则各有专祀，如东坡之祀苏轼等；还有一些官员创建的书院会供祀孔子。古代书院重视学术渊源，通过专祠设供纪念学派宗师、地方名人等，“地以人重”，以此彰显地方文化传统；重视命名题额，以经典立碑设匾显示其学规箴言，并通过优美的书法艺术，增强书院的文化氛围和感染力。书院的祭祀活动是向院中诸生展示学术礼仪、以示尊重先贤的过程，具有一定的德育功能。我国大学校史馆同样以展示“大学人”为重要的展示内容，通过具有代表性的大学人物展示，令当下观者对大学文化产生更加深刻和具体的认识，同时也希望能通过具有社会影响力、深厚学术功底、德高望重的大学先贤，对其产生一定的教化作用。因此，我国大学校史馆发展至今，呈现出一定的规模，这既是当下我国传统文化教育的一种继承，也是新时代语境下对于文化教育模式的创新延续。

2.1.2 中国大学校史馆的主要功能

本小节将根据我国大学校史馆的发展现状，结合大学校史馆的展示内容和展示内涵，明晰大学校史馆的场所功能，为后续对大学校史馆进行进一步的研究分析打下基础。表2.1汇总了我国部分大学校史馆的展示内容与内涵。

表2.1　我国部分大学校史馆的展示内容与内涵

大学	校徽	校史馆名称	建馆时间	展示内容	展示内涵
清华大学		清华大学校史馆	新清华学堂广场的校史馆建于2011年，2021年4月改造完成	展览空间可分为三大部分 1.主展区：展示大学历史 2.人物展区：展示大学重要人物 3.创新展区：展示大学成就	校史馆展现清华历史风貌，传承清华精神，展现清华大学与民族共命运、随时代齐奋进、为国家谋复兴的历程，以及新时代以来清华大学的快速发展和取得的卓越成就。校史馆是开展校史研究、大学教育宣传以及校史育人的展示空间
北京大学		北京大学校史馆	2002年5月开放 2019年4月改造完成	首层为序幕厅及专题展厅 1.地下一层：展示大学成就 2.地下二层：展示大学历史 3.地下二层：展示大学人物	校史馆担负着校史展览、校史研究、校史文物的征集和展出等多项职能，是大学传统教育的课堂、宣传窗口、联系校友的平台、活跃校园的阵地、校史研究的基地
浙江大学		浙江大学校史馆	2007年开放	1.序厅：展示大学历史文脉、建馆宗旨 2.四个主展厅：展示大学历史 3.尾厅：展示社会关怀	展现大学历史、文化、精神；传播大学文化、建设成果；突出发展特色、社会贡献和历史使命 校史馆是全球浙大人的精神故乡，帮助校内外观展人士了解浙大历史和文化
上海交通大学		上海交通大学校史博物馆	上海交通大学校史博物馆（徐汇校区） 1996年4月8日建成开馆 2016年4月6日全新改造后正式开馆	四个板块：展示大学历史变迁、社会贡献和精神传统	校史博物馆是开展爱国爱校教育、活跃校园文化的生动课堂，是联系广大海内外校友的精神家园，也是中外社会人士了解上海交大的重要平台。馆内蕴藏交大人的历史记忆，通过校史馆博物馆，数代交大人与大学及城市联系起来
			上海交通大学校史博物馆（闵行校区） 2021年4月8日建成开馆	四个部分：展现学校历史发展及其文化传统、办学成果和社会贡献	
复旦大学		复旦大学校史馆	2005年开放	展厅分为11个时期，立体展现了复旦发展历史和成就	校史馆已成为学校最重要的地标之一，被评为市、区两级爱国主义教育基地
武汉大学		武汉大学校史馆	2013年开放	1.通史展：展现大学历史 2.专题展：展现当代武大发展、展示大学人物	校史馆具有校史展览、爱校教育、校史研究的功能,是学校对外宣传的重要窗口,在弘扬武大精神、传承优秀文化以及校际、国际交流中发挥了重要作用

续表

大学	校徽	校史馆名称	建馆时间	展示内容	展示内涵
同济大学		同济大学校史馆	2007年开放	分为三层 一层：品牌体验 二层：品牌历史 三层：品牌文化	校史馆是展现大学历史、学校重要的校史文化宣传阵地和青少年爱国主义教育基地。并拥有打造大学品牌理念和面向服务社会的策展理念
中国人民大学		中国人民大学博物馆校史展（2022年）	2008年开放 2022年改造	校史展由四大部分内容构成 1.1937年至1949年 2.1949年至1973年 3.1978年至2000年 4.新世纪以来大学发展	再现了大学学术发展、历史发展，与党和国家、与中华民族同呼吸、共命运，是大学文化特色的展示场所 是新生入校教育的重要环节，树立作为大学人的荣誉感、责任感、使命感。是学校对外交流、展现大学辉煌风采、树立良好形象的展示空间
厦门大学		厦门大学校史馆	2002年5月开放 2021年4月改造完成	1个主展厅和6个专题展厅组成 1.主展厅:大学历史中的重要节点、重要事件、重要成果 2.专题展厅：作育英才、对外交流、感恩·回馈、科学研究、校园文化以及临时展厅	校史馆是开展爱国主义教育、强化思想引领的生动课堂，推动学校文化建设的重要载体，连接海内外师生校友的重要纽带，引导广大师生厚植家国情怀，立报国之志，育报国之才，践报国之行
中国农业大学		中国农业大学校史馆	2005年开放	共设两个展区 1.一层为专题展区，根据形势介绍学校当前的党建、教学、科研、社会服务和文化传承等方面的建设成果 2.二层为百年校史展区	校史馆是面向大学师生和社会各界提供爱国荣校教育、思想文化教育的重要基地。开馆至今，多次成功接待党和国家领导人、重要国际友人前来参观视察
北京工业大学		北京工业大学校史馆	2010年开放 2020年更新	1.校史馆分序厅、历史厅、成果厅，展厅旁设有贵宾厅 2.新增展览是从2008年开始展示大学的重点发展内容，再现了建校60年来的大学发展史	校史馆是令大学人在历史中致敬前人，在回望历史中积蓄力量，同心同德、继往开来，向建设世界一流大学的百年梦想继续前进的展示大学文化与发展的展示空间

续表

大学	校徽	校史馆名称	建馆时间	展示内容	展示内涵
中国传媒大学		中国传媒大学校史馆	2019年开放	包括校史基本陈列、教学实践体验区和教学成果展示区三个展区	校史馆是学校重要的文化品牌工程，是展示学校发展历史、办学成就的传播平台，是开展优秀传统和校风教育的重要载体，更是一所大学文化固化的场所，是凝聚广大校友心灵的精神家园。对学校人才培养、产学研合作、校园文化建设都有重要现实意义
中央民族大学		中央民族大学校史馆	2019年开放	校史馆展厅主要由在革命圣地孕育、在新中国诞生、高点起步、重振旗鼓恢复发展、全面建设加速发展、新时代新征程六个展区构成	校史馆是传承大学精神、展现大学文化、记录学校发展的重要载体，也是开展育人工作的重要阵地。所有过往都蕴含着学校独特的精神与使命，了解学校的校史必将使广大学子产生自豪感与使命感

（1）大学历史的展示空间——通过物质层面体现历史过往

大学校史馆是大学历史的展示空间，同时也是大学历史记忆的承载之地。这种历史记忆，随着对大学历史研究的深入而不断拓展其深度和广度，最后形成了对大学历史的多维度研究，而正是这种多维度研究，在无形中构建起了大学校史馆的展示空间。大学校史的研究是一种关于大学历史记忆的研究，这种历史记忆来源于大学这个集体在不同的时空中发生的社会关系活动，也正如《信息时代三部曲：经济、社会与文化》中提到的，空间不仅是几何三维空间，还包括了文化、历史、政治以及社会等要素对空间的塑造和构成。

在动态的历史发展过程中，人类的活动都是在具有一定确定性、可见性、具体性的场所中完成的，人们通过物质环境来确定自己的位置。场所通常是历史事件发生以及其背后思想汇集的空间。因此，场所凝聚着特定的集体文化思想，并承载着相关的集体记忆、民族文化认同等，是历史事件与现象集中发生的空间。大学校史馆正是作为当代具体的、实在的大学展示空间，对大学过往时空中所产生的具有意义的历史内容进行展示。

在社会时代语境的影响下，随着大学校史研究的不断深入，大学校史馆历史展示的核心目标转变为对大学文化的展示与关怀。当代中国大学校史馆对“过去”内容的更新有着密切的关注，这赋予了大学校史馆区别于一般历史展馆的功能和任务。大学校史馆对于展示内容的“时间性”处理，即在展现大学过去的历史（传统意义的校史）上，往往会将展览的内容无限拉近到大学的“昨天”。英国社会学家安东尼·吉登斯（Anthony Giddens）认为，不能把时间和空间设定为纯粹的物质环境，而应该融合人的日常活动及其蕴含的结构特征。空间是时间凝固的音符，连续的空间组成历史的乐章，随着时间的流转，空间从片段的记录逐渐展现出历史活动中空间使用者的互动及其背后的社会文化意义。

随着对大学校史馆历史研究的逐渐深入，有些大学也会在大学校史主展的基础上延伸出专题展，用以展现大学历史上需要被重点展示的内容。这种专题展区别于大学校史展常设展的状态，有可能成为临时展览，内容则从知名历史人物到教学成果等不做限制，大多数具有临展性质的专题展都是源自社会影响，往往是大学校史馆阶段性增展，与大学历史或社会当下热点话题相关，旨在提升大学的影响力，或凸显大学和社会发展紧密相连的发展路径。因此，当代中国大学校史馆的展示内容不仅为在校大学人和校友等提供了纪念和回溯大学过去的空间，也为未来大学人积累了大学已经发生的历史，成为筛选和记录大学历史展示内容的重要场所。

（2）大学德育空间——通过精神层面体现德育功能

大学校史馆对于大学历史综合研究的展现，使其具有了成为大学德育空间的可能。在对我国大学校史馆准则、发展目标等相关调研中可以看出，大学校史馆的服务内容普遍为“大学新生的第一堂课”，即大学师生初入校园后，关于大学整体历史发展、大学综合情况的第一堂生动的、具有参观性质的大学文化教育课程。大学校史馆的展示内容承载了大学历代师生及其他工作人员的实践经历，是文教相依的智慧结晶，是获取大学信息、了解大学文化的重要途径，承担着重要的文化教育功能。

同时，大学校史馆建设的准则或目标体现出大学校史馆是培养学生爱校、爱国精神的教育基地，能够充分展示一所大学在发展征程中对学术的贡献，以及与国家共命运的向上拼搏、求真逐理等大学精神，也能引领学生树立良好的道德观、价值观。大学校史馆是大学场所过去时空的整体再现，动态的历史必然发生在一个具体的场所或地点中，而这些历史发生场所的定位不但体现了历史的物质层面转化，同时也影响了一代又一代大学人的场所精神的诞生。挪威建筑学家斯蒂安·诺伯舒兹提出，自然或人造空间都具有一定的场所精神。场所精神强调空间环境对人的影响，它能赋予人在空间环境中的感觉和体验，给人以空间认同感和归属感。这种场所精神的综合即大学精神，能使人产生对大学的认同感、归属感的大学精神，对大学校史馆的德育功能具有重要作用。

作为我国大学校史馆的先行者，上海交通大学校史博物馆通过愈加成熟和开放的体系建设，成为开展新生教育及师生爱国主义教育、接待校友外宾、展示大学文化风采的重要场所。此外，众多大学校史馆除了以引导大学师生爱校、爱国为展示教育目标，培养每一名大学生拥有荣誉感、责任感和使命感，形成个人认同和集体认同之外，还旨在让观众通过对大学历史的学习，进而尊重大学历史、了解大学发展、认识大学特色。在调研中还发现，大学校史馆作为大学和社会产生联动的纽带，成为大学综合的传播平台和窗口。

（3）大学形象塑造空间——通过社会层面展现大学形象

大学校史馆是以大学历史为依托，集中叙述大学故事的展示场所，也是当代中国大学对内、对外重要的形象建设和文化传播空间。大学校史馆通过对大学史料的挖掘，以史为线，以特色为点，在多重维度下展开了对大学故事的叙述。在大学校史馆的打造中，各大学都对大学校史馆赋予了这样的建设目标：能展现大学多年发展历程，能描绘大学的前世今生，能展现大学辉煌风采和树立大学的良好形象。在这样的诉求下，大学整体只有以更有辨识度的方式被传播，才能在社会上产生更大的影响力，也有助于大学文化自信、自觉的塑造。同时，这种文化特色的展示和社会认同的反哺也成为大学自我发展的助推力，大学校史馆在对外形象建设、传播的同时，也产生了对内的良好影响。

大学校史馆作为大学的重要展示窗口，成为其他学校、国家、社会乃至国际友人等多方社交层面了解一所大学的重点参观对象。同济大学校史馆（图 2.1）的建设特点之一就是“面向社会服务”的策展理念，注重打造大学校史馆品牌。一方面，是在展示内容中更加注重将大学置于社会层面，展示学校文化和社会价值；另一方面，这样的展示理念也为同济大学校史馆如何更好地服务观展公众、解决具体的设计问题带来了挑战。同时，有的学校将校史馆作为大学对外的文化交流平台，注重开拓校史馆的公共服务功能，开展帮扶乡村文化建设等社会活动。

图2.1　同济大学校史馆

大学校史馆在发挥展现主题内容功能的同时，开始将目光转移到展示后信息的传播效果上，由此成为大学形象建设的平台和窗口，面对整体展览对观众的关怀，大学校史馆的展示策略也逐渐在大学内容的发送、大学内容的接收以及将其转化为有效的社会文化力量之间，进行了以展示大学文化为主的设计平衡。

（4）大学文化的建设空间——大学校史馆功能核心

文化可以从物质、精神和社会制度三个层面进行建构。首先，大学校史馆作为展示大学历史的场所，通过具体实存的空间形式，将大学的过去以有结构、有特色的方式全方位呈现给观众；其次，大学校史馆作为大学德育空间，通过对大学场所精神的挖掘，结合历史空间内容，面向校内观众，打造出一个能够树立个人认同、集体认同的文化展示空间，实现对大学人进行德育的目标；最后，在充分挖掘大学校史力量、大学校史对外作用的背景下，大学校史馆成为大学对外展示自身的传播平台，它建立了社会层面的文化联系，希望也能赢得社会公众的认同，并在从对内到对外的形象建设和挖掘自身的过程中促进大学发展。

法国哲学家、社会思想家米歇尔·福柯（Michel Foucault）认为，人们生活在关系中，并通过这些关系组成了空间。大学校史馆作为一个具体的、具有广度和深度的空间，其塑造本就不单是依靠简单的几何三维塑造，还包括文化、历史、经济、政治、社会等要素对空间的塑造和构成。大学校史馆积累了大学文化的精华，使不同时空下的物质形态在同一时间、同一空间交叠汇集，成为大学不同阶段在遗存物质上的集结点的当代展现。

综上所述，大学校史馆在物质层面体现了大学的历史功能，在精神层面塑造了大学的德育功能，在社会制度层面构建了大学的形象建设空间（图 2.2）。同时，在当代中国，大学校史的研究已经脱离了单纯对于大学发展时间单线上一般历史的整理，而是基于对历史深刻的理解，以校史为主要线索开展关于大学文化的展示。因此，尽管通常我们认为大学校史馆的具体展示内容以大学校史为主，但其建设和展示的核心却是大学文化。大学校史馆的主要任务就是围绕大学、大学文化，解决如同“我是谁？我从何而来？又要向何处去？”的深刻问题。

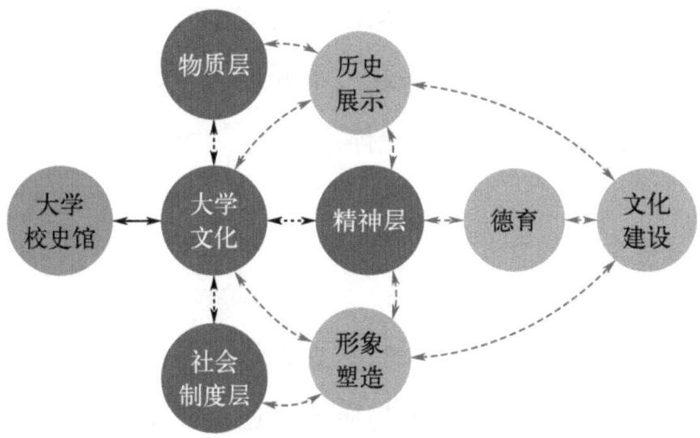

图2.2　当代中国大学校史馆主要功能分析

2.1.3　当代中国大学校史馆展示空间的核心需求

大学校史的扩展研究，令大学校史馆的展示内容从单一的历史叙述转变为对大学的全方位展示。同时，大学校史馆以展示大学文化为核心，具有历史展示、德育、形象塑造以及文化建设四项核心功能。本书从“大学校史馆展示设计”这一研究方向出发，对大学校史馆作为展示空间的核心需求进行了如下分析。

（1）大学文化的教育需求

大学校史馆作为大学文化建设的场所，结合其功能来看，该场所的首要展示需求是实现对大学内部师生的大学文化教育。尽管大学校史馆在社会层面未被纳入大学博物馆体系中，但是作为类似的文化教育场所，博物馆相关的学术理念依然有借鉴价值。

根据王宏钧对博物馆教育的定义，博物馆的教育与服务主要包括“为广大观众提高思想道德和文化素养服务，为在校学生的校外教育服务，为成人终身教育服务”。同时从调研现象来看，几乎所有的大学都将参观大学校史馆作为“新生（尤其是本科生）接受大学文化教育的第一课”，这充分体现了大学校史馆在基础层面对大学文化教育需求的反馈。

教育是一个让受教育者在充满“自由游戏”和不断尝试的实践中自我成长、自我觉醒的过程。有日本学者指出，教育可以分为三个阶段，即传递真（自然属性，传递知识）、善（社会属性，传递价值、理念）、美（审美属性，传递美的情感）的过程。而具有展示属性、在展示设计力量介入后的大学校史馆，正为大学人提供了在空间实践中的教育，使他们能通过观看展示的方式感悟大学文化，从而实现大学校史馆对大学人个人塑造的文化教育功能。同时，大学人通过不断地观看、回溯，也能逐渐在大学校史馆中寻获自己在大学中的个体定位。

（2）大学文化的传播需求

无论是对内的文化教育需求，还是对外的树立大学形象的需求，大学校史馆借助自身的展示属性，能将无论是物质形态还是非物质形态的大学相关信息、知识，都转译成能被大众理解和认识的表现形式，大学文化内容需要通过展示设计进行结构化的解释与展现。同时，区别于一般经典博物馆知识内容的单向传递，大学校史馆作为当代“以人为本”的展示场所，更加关注传播内容（大学文化）可以被观众解读，以及实现对大学文化自身的反哺。

大学校史馆在大学形象建设方面的目标，并非如同一般商业展示以贩卖货物得到收益，而是关注大学文化是否能在庞杂的社会中，以自身强大的文化站稳脚跟，获得辨识度。同时，大学文化的来源一方面是大学过去的积累，但是就如同时间的流动、历史的动态发展一样，大学文化的生命力随着时间的推移也会形成新的积累。另一方面，笔者认为，大学文化的生命活力也来源于大学在每一时刻被大学人或观众解读后的意义，只有通过不断地认识，才能使大学文化形成新的积累，或者是通过社会观众对大学文化的解读，从而引发再次传播，获得社会力量的理解，大学文化的发展就是被这种观看的“此刻”不断塑造着。因此，这种既关注大学文化已有知识的传授，又注重观看主体的解读能力，形成了注重大学文化与观众之间互动的展示传播模式。

（3）大学文化的认同需求

文化认同在注重文化软实力的当下是时代语境下的关键词。

文化认同，是指人们对于彼此或群体的共同文化的确认，共享文化符号、理念、思维模式和一定的行为规范。认同是文化固有的基本功能之一。同时，人与人之间存在着三种互相交叉的认同来源，即物质性认同、理想化认同以及形式上的认同。

为何要关注文化认同？在现代社会中，“流动的现代性”在创造社会价值的同时，也造成了空前的文化危机。现代性对于传统、传统文化的批判思考与超越，动摇了小型群体对于自我文化认同的核心。当代对于过去的批判性思考为人们带来了创新，但与此同时，随着众多文化的急速发展，这或多或少地影响、破坏了每一个文化个体的独特性，强势的文化在不自觉中可能对正在成长的文化进行挤压，形成不平等的关系，让成长中的文化丧失独自生长的能力，从而削弱了文化个体的特色。这一点在本书的研究对象“双一流大学”的政策改革中也有着明显的体现。2017 年，第一版“双一流”建设高校及建设学科名单（以下简称“名单”）中公布了 42 所一流大学建设高校，在接下来 5 年的发展中，“名单”对一些以“双一流”为建设目标的学校产生了巨大影响，这些学校在学习、建设的过程中可能陷入“复制”“同化”等误区，从而忽略了真正影响学校是否能被列入“双一流”名单中的关键要素——学校要充分发挥自身文化、学术专业特色，而非盲目追随其他学校的形式。在 2022 年的第二版“名单”中，政府颁布了百余所学校基于各自特色学科进行“双一流学科”发展的政策。因此，借助大学校史馆展示的大学文化，在历史文化物质的共享、精神文化的共享、群体文化的共享中达到个人认同和集体认同，对于稳定大学自身的生长根基具有重要意义。

（4）大学文化的共生需求

我国著名社会学家、人类学家费孝通提出的“文化自觉”，在近年来倡导文化建设、文化自信、打造中国文化特色的时代背景下被频频提及。文化自觉是一种具有时代性和社会性的需求，其要求在某种文化中生活的人对文化来源、发展趋势等具有清晰的认知，并且不会盲目强调对这种文化的回归。强调人们应具有一种对文化的自知之明，从而更好地应对当代的文化转型。在多元的世界中，应在清晰认知自己文化的基础上，与其他文化互相借鉴，共同建立具有和平秩序、协同发展的守则。大学校史馆正是致力于成为一个能够为大学人带来自我文化认知的地方，同时不断激励大学人创造属于自己的大学文化，促进大学文化特色的生长，从而形成一定的大学文化社会力量，实现多元大学文化的共同生长。在宏观层面上，应使大学校史馆成为能够激发人类文化自觉的教育场所，以传播和促进当代中国大学文化百花齐放、保护中国传统文化多样性为己任，各美其美，美人之美，美美与共，天下大同。

2.2 文化视角下当代中国大学校史馆展示内容研究

在明确大学校史馆的功能和展示需求后，首先要加强对大学校史馆展示内容的研究。大学校史馆的内容分析关系到构建校史馆信息传达的核心，什么样的内容需要被展示、展示设计对于这些内容而言又是怎样的存在，都是笔者接下来要论述的内容。

从文化视角出发，不仅要探索大学校史馆的文化属性，同时也要对其展示内容赋予更加深刻的文化关怀。大学校史是大学校史馆的主要展示内容，通过对其本身展开多维研究，我们能够将对大学历史的研究定位到关于大学过去一切的展示中。个体寻找自我，集体寻找认同，文化得以共生，可以说大学校史馆承载了关于大学的各种记忆。文化视角中的记忆研究，在人体生物研究的基础上，更加关注的是将记忆与群体文化、社会发展、历史进程等相联系的研究思路。个人记忆受其所处的社会的影响，集体记忆来源于个人记忆的综合。同时，记忆既承载过去又面向未来，无论是集体记忆还是个人记忆，都是文化群体的重要构成元素。因此，将文化视角中与文化记忆理论相关的学术知识与大学校史馆展示内容相结合，有助于后期对大学校史馆展示空间设计的深入探索。

2.2.1 文化记忆理论的发展与概念简述

关于文化记忆的研究可以追溯到 1902 年。那时的西方社会物欲泛滥、个性膨胀，造成了集体身份危机，在此背景下，霍夫曼斯塔尔使用了“集体记忆”这一术语。随后在 20 世纪 20 年代，法国历史学家、社会学家莫里斯·哈布瓦赫（Maurice Halbwachs）将“集体记忆”这一概念引入社会心理学领域，他认为集体记忆是在空间和时间上具体的记忆，决定着某一集体对于自身的认知，同时属于该集体，因此它也可以被集体重构。在哈布瓦赫的研究中，“集体记忆”并不是客观的，而是在不同的时代、不同的社会背景需求下，对于过去的不断重构，这并不代表对过去思想的完全推翻，而是用新的方式去表达过去，从而巩固现在的集体。

德国学者扬·阿斯曼（Jan Assmann）与他的夫人阿莱达·阿斯曼（Aleida Assmann）发展了哈布瓦赫的观点，提出了“文化记忆”的概念，并将“记忆”引入文化学的研究领域。扬·阿斯曼延续了哈布瓦赫的一部分观点，认为文化记忆存在于社会和文化因素的框架之内，并据此将记忆划分为四类：模仿式记忆、对物品的记忆、通过社会交往传承的记忆以及文化记忆。其中文化记忆涵盖了前三个范畴的记忆，与社会、历史范畴相联系，它负责将文化层面上的意义传承下来，并不断提醒人们去回想和面对这些意义。

扬·阿斯曼认为，每个文化体系中都存在着一种“凝聚性结构”。一方面，它是时间上的，将过去某些重要的片刻以一种形式固定地保存下来，通过多次复现展现其所代表的重要意义；另一方面，它是社会层面上的，包含了文化体系内成员从过去共同记忆中继承而来的价值体系与社会规约。这种结构是文化体系延续的生存框架，为文化群体带来认同感。而文化记忆的诞生源于这种生存结构，同时也承担了维护它的责任。文化记忆的产生，是社会群体的不断内视和向他人呈现的过程，这些都是文化得以生存、立足的重要过程。人们通过过去的记忆寻找过去的“自己”，在历史中寻找自我原初的归宿，以得到当下在文化群体中的身份认同。

我国文化记忆理论学者余红兵指出，扬·阿斯曼本人就极具符号学意识，扬·阿斯曼曾明确提出“记忆一直就是一个给某事物赋予意义的符号化的行为”。因此可以说，从符号学的角度来审视文化记忆是明智且自然的选择，甚至有理由认为扬·阿斯曼的文化记忆理论实质上就是一种历史符号学。这也为笔者在后面引入符号学的思想进行了铺垫。

此处，笔者将阿斯曼夫妇对于文化记忆的阐释进行如下概括性的描述。首先，“文化记忆”与哈布瓦赫的“集体记忆”有相似之处。阿斯曼夫妇认为，文化记忆是有关集体起源的、具有一定时间距离的历史内容，对于这些历史的回忆并非要对其完全重述，而是要结合被回忆的此刻的集体需求，从而达到巩固集体文化认同的目的，因此它对于历史的回忆具有片段性。其次，文化记忆的延续需要具有稳定形态的媒介载体。如节日，对于一个文化群体来讲，遵循节日的客观规律，文化记忆得以被循环地纪念，这为文化记忆的传承提供了形式上的保障。同时，文化群体的参与，也令集体成员可以有效地亲身参与到对历史的重温中，不断地被提醒自己文化群体的身份，同时这种集体行为也为文化记忆一代代传承到每一位成员身上提供了契机。

扬·阿斯曼最终认定，“文化记忆”就是“关于一个社会的全部知识的总概念，在特定的互动框架之内，这些知识引导着人们的行为和体验，并需要人们一代一代反复了解和熟练掌握它们”。并且，他在之后的理论论述中将文化记忆进一步深化为“每个社会和每个时代所特有的重新使用的全部文字材料、图片和礼仪仪式的总和”，他认为，“通过对它们的‘呵护’，每个社会和每个时代巩固和传达着自己的自我形象。它是一种集体使用的，主要（但不仅仅）涉及过去的知识，一个群体的认同性和独特性的意识就依靠这种知识”。文化记忆具有的主要特征包括认同具体性或群体关联性、现实重构性、成型化的稳定保存形式、组织性、约束性和观照性。文化记忆理论研究与记忆理论相比天生就具有双重性，“文化记忆理论是一种文化理论，同时也是一种记忆理论”。

2.2.2 当代中国大学校史馆中文化记忆的内涵

当代中国大学校史馆是展现大学文化和大学历史的“一体两面”的场所，同时其自身也拥有一定的社会属性和时空属性。大学校史馆主要承担了以下两方面任务：一，展示一所大学独有的精神文化和综合、特色型的校史文化；二，展示大学发展的历史脉络和相应的教育教学成果。同时在建设的过程中，它也成为一所大学的“记忆之场”，展示的内容是集体（或个体）在不同大学时空下因发生的事件而产生的记忆，以及与校史相互交融的产物、信息、知识，这些内容在大学校史馆的空间中被重新建构、传递和解读，同时又因为每所大学的“记忆”的不同，带来了不同群体内在的集体认同性和独特性的展现。

在管理制度上，我国大学校史馆中的大学校史研究室往往与大学档案馆密不可分，大学档案馆积累着大学过去的重要历史资料，大学校史馆则是专门从事校史研究的基地。为了更好地达成大学校史馆的展示使命，需要对大学校史馆这一具体、实在的展示场所进行精心构建，每次展示的内容都是根据史料和展示主题与结构规划的，因此以校史为核心的大学校史馆中的展示内容，构成了阿斯曼夫妇笔下的“文化记忆”。在时间和社会层面，大学校史馆作为连接大学过去和现在的存在，构成了大学内部的集体认同和个人认同。结合相关学者对于文化记忆特征的总结，大学文化记忆在校史馆的展示过程中同样有所呈现，并能够从文化记忆理论的角度，为大学校史馆展示内容带来新的活力。

（1）认同性

大学文化记忆涉及大学这一群体过去所有信息、知识的储存。对于这种综述性的内容和具有特点的内容的多元展示，个体能够找到大学中的“原我”或者“未来我”，形成个体的文化认同，群体能够从跨越时空交流的展示内容中得到同一性。

（2）重构性

一方面，大学文化记忆是原有的素材积累，是堆叠在大学档案馆中的文本、图像等一系列原生形态；另一方面，在每一个时代语境下，大学文化记忆会为了更好地传承与传播而变化形态，它总是以当下的社会语境、文化群体要求为主要出发点，不断地对自身进行重建和重构。

（3）媒介性

大学文化记忆同样需要具有可以稳定保存从而得以延续的形式。当代大学文化记忆的积累常以文字、文件等方式保存并进入大学档案馆，继而通过大学中具有历史意义的建筑物、景观雕塑以及校庆等节日进行文化记忆的传承。在媒介技术快速发展的今天，大学文化记忆可以依附的媒介种类极为丰富。

（4）组织性

大学文化记忆的交往与沟通在大学校史馆中得到了具有稳定性的回忆载体依托，并借助相关的校史研究员、校史馆讲解员等专业人士实现文化记忆的传播，具有极高的组织性。

（5）约束性

大学文化记忆的约束性，也可以理解为是一种个体面向群体文化记忆中留存的文化价值、社会规约后自我观照下的“信息落差”。成为这所大学的学生后，将此刻的“我”与大学中优秀的前辈相对比可以发现，同为一个大学文化群体中的学生，“我”和前辈有一定距离，也正是这种落差，使得大学一代代的学生能从大学文化记忆中学习、进步，并产生传播大学文化记忆的必要性、吸引力。

（6）观照性

大学文化在大学校史馆中的展示内容，时刻观照现实、过去并规划未来。其既包括对大学中常见的时间形式（如大学生活、大学制度、大学特色变化）的观照，也包括对大学成员——大学人的自我观照，也就是上一条中所提到的自我审视。这种观照性还包括大学对于自身文化进程受到大学内部和社会外部影响下的观照与反思，呈现了一种大学个体与集体内部、外部之间的观照性。同时这种内外兼具的反思，可以促进大学文化的优质生长，促进大学对自我特性的关注、大学定位和内容创新。

总之，明确大学文化记忆的特性，有助于我们更好地理解大学校史馆的展示内容，同时可以指导大学文化记忆内容的选取和组成。

2.2.3 当代中国大学校史馆中文化记忆的内容组成

可以说，关于大学校史内容的研究，是大学文化记忆内容的一面镜子。2020年出版的《中国大学校史研究（2018）》中提到，中国高等教育学会校史研究分会作为中国大学校史研究的核心机构，对时代变化下的大学校史研究工作提出了五个方面的要求。首先，关注不同时期高等教育、大学校长、书记的成功经验以及各大学的发展规律。其次，进一步拓展大学校史研究视野，从对大学历史的宏观把握到微观层面的代表性人物，以及深入大学组建的结构细节，对院系、专业、课题等都要加以认识，并横向联动同类型大学的发展进行比较研究，拓展、深化校史研究的视野和水平。再次，注重校史研究的成果及其应用方式、传播方式的多元创新，为校史走出书本做好充分的实践工作，传播先进文化思想，发挥面向校内外的教育和文化辐射作用。此外，还需要突出校史研究的时代性，不断拓展校史自身的生命力，开展多种类型的校史研究，以更好地延展大学文化的广度。最后，校史工作具有多方面、多领域、多功能和多种性质的综合性特点，因此，应通过搜集整理校史，加强学术研究、转化学术成果，服务校内师生、校友和社会各界公众，履行传播、宣传、教育的职责。

大学校史馆展示内容的构成元素是大学文化记忆的具体组成部分，也是大学文化记忆在校史馆空间中的具体表现形式。从文化的视角来看，笔者认为大学文化记忆的构成元素围绕大学产生，内容广泛，可以分为物质层、精神层和社会层。基于以上分析，并结合对大学校史馆展示现状的调研，以及笔者的实践经验，下面从五个方面对当代中国大学校史馆中文化记忆的内容组成进行阐述。

（1）时代印记

人类社会的生产力源于过往历史的延续，对于大学和大学人来说同样如此。对每个时代所积累的校史或大学文化的继承是有一定的必要性和绝对性的，这既是大学全部历史的基础，也是大学以往活动的产物，是大学的客观史实。而这种历史也必然与时代的发展有着密切的关系，是大学文化创新的基础。此外，它还代表了大学文化记忆的积累和大学文化发展的全过程，引导大学人在大学发展的过程中进行反思，并针对当下时代做出文化记忆再次展现的选择与思考，从中受到有益的教育和历史启迪。同时，在大学校史馆中从时代角度对文化记忆进行思考，也代表了外界社会对大学文化进程始终有着深刻的影响。

基于笔者的调研可以看出，当代中国大学校史馆往往由校史研究作为发端，因此大学校史一直是大学校史馆展示的重要基准线。大学文化记忆中的“时代印记”成为记忆主线，通过对不同时代下大学历史发展的综合了解，串联起历史上大学人、事、物以及大学精神的总脉络。

（2）思想精神

通过对大学校史馆功能定位和展示需求的分析可知，大学文化精神也是大学校史馆的重点展示内容，其构成了大学文化记忆中的重要一环。大学通过各种教育形式传承知识、积累大学文化精神，其中包含了大学精神、教育理念、学术思想、社会关怀，同时也涵盖了大学伦理、行为制度、社团活动等精神物化的产物。大学思想精神的丰富性、生命力赋予了它们传承和辐射的力量，是大学人追求的价值观和信仰目标，对大学的继承者们有重要的教育意义。

（3）人物形象

大学文化记忆的积累与大学文化的一代代创造者有直接关系，大学校史也是一部人文史，所记录的内容都是人与文化、历史共同前进的结果，即人类发展文化的历史演进。在这一过程中，大学文化记忆是因受到大学人行为影响而进行积累的，同时，文化又对新的大学人的思想产生影响，推动大学乃至社会的进步。无论是国内还是国外，都是在大学中通过大学人，特别是符合大学发展特色，为学校和社会作出贡献的大学人，来具体反映大学文化的存在、发展与变化的。例如英国剑桥大学的物理学之父牛顿、德国柏林大学的哲学家黑格尔、北京大学的教育家蔡元培先生以及革命先驱李大钊先生等，这些在人类社会上作出卓越贡献、在学术专业上推进文明前行的先驱者们，不仅构建了各自大学的文化基础，被写进校史中作为榜样，更留存在大学文化记忆中，发挥了大学人创大学文化之新、大学文化育人之重的关键作用。校友是大学不可忽视的重要群体，在大部分大学校史馆中，都提到了大学校史馆是维系大学校友的精神家园，当走向社会的人越来越多地将自己的根扎在大学中，一所大学的文化力量就会形成一种传承和延续，因此大学人无论是在校还是已经离开大学，都是大学文化宝贵的资源。

（4）历史事件

大学文化记忆的组成也与大学历史事件相关。各种类型的大学历史事件都贯穿于大学的历史进程中，也可以说，事件的发生是大学历史、大学文化记忆形成的重要因素，同时对大学文化的发展起到了推动作用。大学的诞生受到社会的影响，近代开创的大学尤其如此。社会的变革给大学带来了外部压力和影响，促进了大学文化新成果的诞生，而大学内部的新成果也对社会的发展有所影响。如在文艺复兴的影响下，人文科学和自然科学在欧洲大学中得到承认，从而对近代科学的诞生和大学制度的改革产生了重要的影响。在中国大学历史上，新文化运动一方面为大学和社会带来了新的文化成果，另一方面也因此诞生了一批社会精英人才。

大学文化记忆的积累和独特性，正是源自这些纷繁复杂、多元多维的历史事件组合。具体事件让大学文化记忆得以重现，它是大学文化丰富内涵的重要来源，是大学创新文化的重要体现。

（5）物化成果

文化记忆具有物质载体的属性，大学文化记忆同样具有这一属性。大学文化具有物质与非物质的双重性质。一方面，大学文化精神通过大学有形的物化现象得以体现；另一方面，在大学文化中孕育的物化成果无一不包含大学文化精神，这也是大学和大学人在历史进程中共同积累的具体表现。这些物化的历史产物凝结了大学人的思想精神、审美情趣、发明创造以及科研成果等。大到校园中的景观规划、新老建筑、大学牌坊以及名人故居，小到创意雕塑、校徽、校旗等，以及与教学研究相关的教具模型、实验物品、教材实物、研发成果，甚至到了信息时代，大学的信息数据、信息化的产物都成为凝聚大学文化记忆的具体表现内容。它们不仅见证了过去大学积累文化、创新文化的过程和结果，而且也传达了大学精神层面的文化记忆，这既是教育的意义，也是对新文化的启迪和呼唤。

因此，通过对大学校史馆的展示内容进行表象调研、综合梳理，以及从文化视角运用文化记忆理论整合展示内容，可以看出大学校史馆的展示内容对大学校史馆的建设起到了支撑作用，同时，这些多元的展示内容在文化记忆理论的整合下，呈现出精神物化、物化精神的特点。在当今信息时代的语境下，让这些展示内容更好地被新的大学人和社会观众理解、接受、认可，具有重要的社会意义、现实意义和发展意义。如何通过展示设计，在大学校史馆中整合大学文化记忆资源，在大学、社会、观众中发挥大学校史馆展现当代中国大学文化力量的作用，成为本书的核心关注点。

2.3 大学校史馆的展示设计现状研究

2.3.1 展示设计在空间中的发展与特性

（1）展示设计在空间中的起源与发展

展示行为的起源可以追溯到远古时期的图腾崇拜、树碑立柱以及祭祀活动，体现着原始人意念信息的传达。

随着社会生产力的发展，原始人类产生了交换生活和生产资料的需求，物品展示成为重要的环节，人们有意识地展示物品质量，并且还由此催生了古代集市。古代封建社会的展示形式主要出现在商业活动和教化活动中。在北宋张择端的《清明上河图》中我们可以清晰地看到店铺、商旅等展示行为（图 2.3）。而教化活动往往与宗教活动联系起来，庙宇、教堂和石窟等都可以看作一个陈列雕像或其他宗教内容的“古代博物馆”。中世纪，欧洲贵族阶层有观看自己积累的财富的需求，由此出现了收藏室，即现代博物馆的雏形（图 2.4）。

图2.3 《清明上河图》局部（国医赵太丞家店面）

图2.4　自然奇珍收藏室

随着近代资本主义的发展，展示设计发展到了一个重要阶段，主要体现在世界博览会的产生和发展中。1793年，卢浮宫转变为博物馆并对公众开放，世界博物馆进入了发展时期。1851年在伦敦举办的首届世界博览会，可以说开创了展示设计历史的新纪元，同时也标志着现代展示设计学科的形成。从此之后，各个工业大国举办了多次规模宏大、形式多样的国际博览会。

现代展示设计兴起于世界博览会、博物馆中，而中国近代博物馆业始于中国近代实业家、教育家张謇于1905年创办的“南通博物苑”，这是第一所由中国人创办的公共博物馆，同时也是通州师范学校的附属机构，由此开启了中国高校博物馆的发展历程。而后，北京大学地质陈列馆（现更名为北京大学地质博物馆）、交通传习所（即今北京交通大学的前身）交通博物馆等相继成立。1914年建成的成都华西协和大学博物馆，则采用了传统的中国三段式风格，并结合博物馆功能进行建造，包含着中国设计、中国审美的哲学思想。

在20世纪初期艺术类的展示活动中，出现了一种中性的、排除一切外在干扰的白色方盒子的展示空间形式，即“白立方”式展示空间（图2.5）。这一概念由美国纽约现代艺术博物馆馆长阿尔弗雷德·巴尔（Alfred Barr）提出，并于1929年开馆之际将这一新的展示空间形式呈现给了世界。与以往相比，空间开始对展示内容施加整体化的影响。巴尔通过抽象化的处理方式，对展示空间进行了具有现代艺术性的重构，强调空间本身具有与现代主义艺术相似的非装饰性的、去形象化的、几何化的以及形式主义的特质，并在此后对艺术展览、博物馆展览追求的展示设计形式产生了长远的影响。

图2.5 美国现代艺术博物馆“白立方”式展示空间

同时，在经济的发展中，人们对于商品的多元化需求，促进了商品销售形式的发展，百货公司由此出现。20世纪60年代以后，又出现了大型购物中心等商业售卖空间，增加了展示设计日常化的需求。80年代以后，展示设计在艺术表现形式上出现了个性化趋势。在众多文化思想的催化下，展示设计不再拘泥于展示空间，格局更加开放，手段更加灵活，尤其强调与展示环境相融合。

当代社会，随着信息技术和展示学科的发展，展示设计更加关注观展人的体验，“参与式博物馆”“交互式展示体验”等层出不穷，展示活动逐渐增多，如由世界博览会发展而来的综合性博（展）览会、交易活动。展示设计凭借它强大的学科和技术包容度，逐渐渗透到更多的人文生活领域。同时，技术手段的增加和社会对人文生活更进一步的需求，使观者更加向往展示内容精神的呈现，并引发对展示设计内容的感知。

英国社会学家迈克·费瑟斯通（Mike Featherstone）对当今的博物馆空间做出了精准的描述。他认为，如今的博物馆正积极面向更广泛的普通观众群体呈现展品，不再局限于“高雅文化专属展示地”的定位，而是致力于将自身打造成充满视觉冲击、调动多元感官、融合幻觉与蒙太奇元素的空间。在这里，观众所获得的不再是对符号等级知识的被动接受，或是对所谓“诲道原则”的机械聆听，而是能够沉浸式感受展品魅力，获得身临其境的珍贵体验机会。博物馆正以更开放、更亲和的姿态，成为大众共享文化盛宴的活力场域。

（2）展示设计的特性

由前所述可以看出，展示行为、展示设计出现在人类社会中的时间较早，但是展示设计作为一门学科得到专业的学术研究的时间，与其他学科相比还是较短的。美国艺术家赫伯特·拜耶（Herbert Bayer）曾说，展览设计作为一门新的学科，是一种大众传播的设计，它承载了多种视觉媒体。一切元素皆为符号的象征，而所有作用于观赏者身心的设计方式都强化了它的表现力，并成为组成它的新元素。每一门学科的发展都不是孤立的现象，在当前设计学科综合发展、技术手段不断加强的时代背景下，展示设计的发展呈现出一定的趋势，逐渐成为一种时空综合的、多维度的设计表达方法，结合当代多学科发展的技术支持，配合以下 6 个展示设计发展特性，可以促进展示空间设计效力的提升。

① 展示设计的时空语境。在不同的技术背景和社会文化需求下，展示设计不断地适应需要它服务的展示场景，以更好地满足人类的物质和精神需求。在每一个时空点位上，展示设计都根据它服务的对象和当代的背景被人们创造和使用。一方面，展示设计存在于社会时代语境的变化中，如技术、传播信息的主流途径、表现手法等；另一方面，它被赋予了对时间、空间等多维度的设计能力。在远古时期，展示设计就成为先民与神灵和遥远过去沟通的借力渠道，在艺术博物馆中，它是观展者和艺术作品之间的衔接渠道，在商品空间中，它是商品与消费者之间的桥梁等。因此，在不同的时空下，展示设计学科的服务能力在扩展，还有待我们进一步挖掘。

② 以人为本的时代关怀下展示设计内容的双向沟通性。在以人为本的时代，展示设计从发展初期单纯对展示内容信息的输出，转向了对观展人信息反馈的关怀。在技术的扶持下，展示设计更加关注人的体验感、参与度，这种参与度甚至延伸至服务设计中，一个展示设计活动的利益相关方均可参与，以期展示内容的设计表达可以更贴近目标观众的“阐释”形式。这种对展示内容可读性的关注，让展示设计更重视对展示内

容整体环境的营造，再深入具体的设计中，以期更好地符合观众生理和心理的双重认知。

2018 年 4 月至 9 月，新加坡国家博物馆举办了“当我们同在一起：新加坡的游乐场（1930—2030）”展览（图 2.6），其一方面具有游乐场主题带来的天然互动特性，另一方面可以让观众切身参与到互动的展项中。该展览从展示内容出发，利用模型等展品与观众内心关于过去游乐场的集体记忆进行联动，并将这种集体记忆进一步具体化到观众的个体经验输出，实现传播效果的最大化。

参与型博物馆分为三种类型，笔者认为展示设计亦然，即分为贡献型、合作型、共同创造型。同时，笔者认为，观众对于展示内容的反馈，是展示内容生命延展力的重要来源，这也在当今众多展示设计活动的结尾有所体现，例如有不同形式的观众反馈“留言板”，这种原初的信息互动模式，一方面是对展示设计效果本身的反馈，另一方面也是观众对展示内容学习、认知的反馈。而在当代，各种高技术维度的展示设计媒介形式的需求、提升，也都源自展示设计期望信息接收方——观众能有更深刻的展示体验，从而对展示反馈有一定的帮助。

图2.6　新加坡游乐场的互动展项“把游乐场带给你的美好回忆拼凑在墙上！”

③ 展示设计文化形式的转译性。展示活动起源于人们对纪念性的需求，在发展过程中，其一度纯粹服务于功能，随着人性关怀理念的兴起，展示设计也做出了回应，即通过设计展示内容背后的文化属性，赋予展示活动以“灵性”。

文化的表达可以分为物质层面和精神层面。当代展示设计除了对展示内容本身进行物质层面的编排策划外，也注重对展示对象精神层面的描绘，从而提升展示内容的丰富度。而这种对展示对象文化内容精神层面和物质层面的双向描绘，笔者认为源自展示设计文化转译的能力。

借助展示设计中的媒介、符号，展示设计能为无形之物赋予可被感知的设计形态，将具象之物抽象为大众能够理解的形式，对文化的理解与传播作出贡献。如 2010 年上海世界博览会英国馆被人们称为“种子圣殿”，一方面是因为英国馆契合了本届上海世界博览会“城市，让生活更美好”的主题，将主体建筑打造为承载了无数种子的“蒲公英”造型，并且在形式细节上模拟自然形态的不规则性；另一方面是通过设计转译，将蒲公英播种的概念与“希望的种子”撒向大地这样的美好愿景相结合（图 2.7）。

图2.7　2010年上海世界博览会英国馆

④ 展示设计媒介的融合共生性。展示设计中的媒介融合与共生，首先体现为对不同类型的媒介进行多元整合与设计规划，包括文字、图片、影音、交互场景甚至是艺术品等。而由此带来的是三种不同维度的媒介平台的设计融合：从人的身体维度来看，它是展示空间中得以实现面对面交流的物质平台，强调观众之间的多元互动；在技术维度上，展示设计通过众多媒介（如平面出版物、音频等）构成展示内容的信息传送平台，强调了一种信息输出的有效途径；最后是数字媒介维度，它强调了在当下社会，观众将积极参与到对媒介文本内容的解读和再传播中。

展示设计展现了它强大的设计整合力和对展示内容阐释域的赋予能力。在 2019 年米兰国际家具展上，某家具和照明品牌为自己的标志性产品打造了具有极强互动性的展示空间。该空间的墙面以黑白插图为基础，同时以白色的投影作为启动机制。当观众轻轻按压白色区域时，叙事性的片段就会展开，然后又会自动回弹，由此形成了在视觉层面和互动层面双重维度上叙事模式和媒介系统的展示设计组织策划（图 2.8）。

⑤ 展示设计空间表达的艺术性。展示设计发展至今，从传统的单向信息传送，到今天的人本关怀与文化重视，呈现出更多视觉化、体验化、艺术化的展示空间，引发了人们对于展示内容的更多思考和体验，这也令展示设计走向了展示内容的信息多向传播。从艺术设计的观念上来讲，现代社会对现代空间艺术的推进和需求以及新媒体技术的发展，对展示设计学科的发展有所帮助。

图2.8　米兰国际家具展某家具和照明品牌展示设计

空间艺术在展示设计中的作用，是在实体空间之外，寻求让展示与观众对话的空间。当代展示空间中的观众都在寻求一场与展示内容的对话，从而得到属于自己的感受和认知，而并非规训和灌输式的展示模式。这种对话空间比起完整的叙事模式，更加注重利用综合元素打造氛围和情绪空间，于是展示空间不再单纯依靠展示内容无声地等待被观看，而是有了像语言一样的感人魅力。

将物理空间中的展示设计操作赋予艺术设计，正如画家创作画作、雕塑家创作雕塑，有具体的画的内容和雕塑的对象，但是他们会运用不同的技法，以更好地表达对象内容。空间艺术家詹姆斯·特瑞尔（James Turrell）于 2013 年设计的作品 *Aten Reign*，正是利用室内的人造光线与自然光线结合打造的充满感知的艺术空间，其创造了令人全身心投入的、具有丰富展示体验感的展示氛围（图 2.9）。

⑥ 展示设计力量促进文化生态性发展。展示设计的种种发展特性，都将促进它服务的“元对象”的文化生态性发展。对于所谓的展示设计的“元对象”，笔者认为，不论是关于某种纪念精神还是物质对象的展示，展示设计总要对它们背后的文化进行挖掘和再展示，才能够达到以上关于展示设计发展特性背后的展示效果。展示设计具有展示有形文化和无形文化的能力，能够观照文化生态性发展，同时结合多元、多维度的展示能力，它能够帮助每一种文化找到属于它的表达形式，这种对展

图2.9 *Aten Reign*

示内容文化根源的关怀和设计能力，也是展示设计学科能够不断得到认可、发展和设计跨界的原因。

除此之外，现代社会加速进步，甚至出现了不同层面空间的设计发展，笔者所述只是目前展示设计较为明显的发展趋势，随着展示设计学科本身包容度的提升，展示设计将在越来越多的社会场景中发挥学科力量。而伴随着展示设计整体的发展，大学校史馆这一明显具有展示属性的文化空间，也同样具有属于它的展示设计发展进程。

2.3.2 中国大学校史馆展示设计现状

（1）中国大学校史馆展示设计现状分析

通过对中国大学校史馆展示设计的调研，并结合海内外大学校史馆整体发展情况，笔者将展开对中国大学校史馆展示设计不同发展阶段的阐释总结。可以说从 1996 年上海交通大学校史博物馆成立以来，中国大学校史馆的展示设计可分为以下阶段：大学校史文化单向输出的 1.0 阶段，注重展示设计层次的表达；提升大学校史馆展示大学文化力量的 2.0 阶段；大学校史馆展示设计发展阶段，关注观众释展力量，注重展示内容的设计表达，促进观众与展示内容对话，为大学文化的传承、传播做更好的设计思考准备。笔者结合实地调研、资料搜集，节选部分资料收集较为充分或是具有一定代表性的大学校史馆展厅现状，以供参考（表 2.2）。

表2.2　部分中国大学校史馆展厅现状

大学	校徽	校史馆名称	建馆时间	展厅内部
北京大学		北京大学校史馆	2002年5月开放 2019年4月改造完成	
浙江大学		浙江大学校史馆	2007年开放	
上海交通大学		上海交通大学校史博物馆	上海交通大学120周年校庆专题展示馆（2020年12月29日撤展闭馆） 上海交通大学校史博物馆（徐汇校区）1996年4月8日建成开馆，2016年4月6日全新改造后正式开馆 上海交通大学校史博物馆（闵行校区）2021年4月8日建成开馆	
复旦大学		复旦大学校史馆	2005年开放	
武汉大学		武汉大学校史馆	2013年开放	
同济大学		同济大学校史馆	2007年开放	

续表

大学	校徽	校史馆名称	建馆时间	展厅内部
中国人民大学		中国人民大学博物馆校史展（2021年）	2008年开放 2022年改造	
厦门大学		厦门大学校史馆	2002年5月开放 2021年4月改造完成	
北京工业大学		北京工业大学校史馆	2010年开放 2020年更新	
中国农业大学		中国农业大学校史馆	2005年开放	
中国传媒大学		中国传媒大学校史馆	2019年开放	
中央民族大学		中央民族大学校史馆	2019年开放	
中国石油大学（华东）		中国石油大学（华东）校史馆	2021年2月开放	

① 宣传形式 – 单向内容的传播 – 前身。在我国高校中没有出现大学校史馆这一形式以前，大学档案馆可以说是大学校史馆的前身，大学各个方面的情况、大学校史等都依靠大学档案馆进行记录，处于相对封闭的状态，对外宣传也只是通过宣传画册、校报、横幅等形式。这种宣传式的展示，是早期社会对自身客观事实的一种单向、强有力的输出手段，也是对宣传内容以纯粹传播的理念进行表达的方式。

② 展示活动 – 扁平化的展示策略 –1.0 阶段。这种宣传式的展示，将单向输出展示信息的理念延续到了后期大学校史馆的展示设计活动中。早年间的大学校史馆，一方面受到经费以及校史馆体制等因素的制约，另一方面，在 20 世纪中末期中国整体展示设计大环境的影响下，大学校史馆的展示设计整体呈现出以大学校史为核心展示内容，平铺直叙，展品实物较少，以文字和图片为主的特点，对于展示空间和展示平面的设计也不曾有过多的关注。甚至这种初期的大学校史馆展示模式，至今还会存在于一些大学校史馆中。目前，大学校史馆仍以传播内容为主要的展示模式，但是随着时间的推移，大学校史馆的展示设计将呈现出丰富的变化。同时，在中国传统文化的影响下，大学校史馆很早就对重点事件、人物进行了主题雕塑和主题绘画的呈现。

早期的大学校史馆将展示的重心放在焕发展示内容——校史的活力上，大学校史馆这种综合展示形式可以说是对当时大学文化集中展示的突破。在大学校史馆的展示空间中，针对基础的展示设计形式，大学校史馆常年配备专门的解说员，其首要任务是对大学人展开“授课”模式的教育活动。在外校、社会人士来访时，安排专业人员进行讲解，这是社会默认的行为共识，而大学校史馆的展示设计早期看似缺失，其实在很大程度上都通过大学校史讲解人员得到了弥补。大学校史馆通常坐落于大学内部，早期开放程度远不如现在，甚至到现在，很多大学校史馆的开放天数都是极其有限的。以上种种因素导致大学校史馆建设初期的展示设计形式呈现扁平化、阅读化的设计特点。之所以出现这种展示设计形式的大学校史馆，还有一部分原因在于大学发展时间尚短，大学文化记忆积累还不够丰厚，又或者是由于缺乏相关设计范式、资金支持等。

③ 展示设计 – 多层次的展示设计、注重展示大学精神 –2.0 阶段（迈向 3.0 阶段）。笔者在调研中发现，自 21 世纪开始，我国一些大学开展了大学校史馆展示设计的建设和更新工程，由此迈向了大学校史馆展示

设计的 2.0 阶段。社会对于大学的影响是全方位的。21 世纪以来，国家对文化形象建设工程的高度重视以及展示设计在国内的发展，促进了大学校史馆展示的升级，同时，这也源于大学校史馆的展示教育功能的需要及其与时代接轨的责任和使命。近几年，我国大学校史馆的建设数量有着明显的上升趋势，许多大学校史馆还进行了两次甚至三次的更新，有些大学甚至建设了不止一座大学校史馆，线上校史馆的展示也在不断增加。例如上海交通大学作为我国首批拥有大学校史馆的大学，在不同校区共设有两所大学校史馆。此外，山东大学等一些拥有分校区的大学也都呈现出“双校史馆”模式（图 2.10、图 2.11）。

图2.10　山东大学博物馆校史展馆（2011年更新）

图2.11　山东大学博物馆百年学府校史展馆

关于大学校史馆展示设计的展示内容，笔者挖掘了其文化记忆与交往记忆的双重展示特性，大学校史馆展示设计内容整体上仍以大学宏观发展历史为主要脉络线索，但是增加了对展示内容专题的规划和重点展示挖掘，延展了大学校史馆展示大学文化的全方位属性，将大学校史馆的展示时间线从过去拉向更近的现在，并呈现出一种展示内容的动态特征，尤其体现在众多大学校史馆中的“今日大学”“校园生活”等展示环节。

21 世纪以来，大学校史馆的展示设计开始引入现代化的信息技术手段，或是利用工艺手段等打造体验场景。一方面，其越来越关注大学精神层面的文化展示，尤其是展现大学人文名家、历史事件回溯等大学纪念类、贡献类的可贵文化精神的深刻记忆和感受；另一方面是打造大学特色的场景体验，从而体现大学发展中的个体特色。如中国传媒大学校史馆中关于早期学生学习不同种类电报机器等的场景（图 2.12）。

图2.12　中国传媒大学校史馆塑像场景展示

（2）国外大学相似校史（展）馆展示设计概述

笔者对德国、意大利以及韩国等国家的大学进行了以展现大学文化、大学历史的展示空间与场所的基础调研。正如前面所说，因中西方文化背景、教育方式、管理制度、历史传统等不同，这种拥有专属空间或建筑进行大学校史、大学文化展示的大学校史（展）馆在国外并没有如中国一样得到集中式的发展。以柏林洪堡大学赫尔曼·冯·亥姆霍兹文化技术中心的一个项目为例，德国大学收藏品和博物馆信息系统（Das Informations system zu Sammlungen und Museen an deutschen Univer-sitäten）中的数据显示，在 9 座纪念设施中仅有 1 座是关于大学科学研究的展览，展示了大学职业与国家、学科、社会发展之间的密切关系。在 89 所博物馆中，有 18 所已经不在，其中只有 2 所是与大学发展历史有明显相关性的。其他大学的博物馆还是以自然科学、人文艺术收藏品为主，即使有些大学的收藏起初是作为大学教具出现的，但就规模而言，仍与我国大学校史馆有所区别。

对于大学校史、文化的展示，西方大学通常以分散式的形式将其分布在校园中。拥有超过 500 年历史的德国海德堡大学可以作为典型案例，它拥有与我国大学校史馆类似的大学博物馆。该博物馆选址于海德堡大学中一个建于 1712 ~ 1728 年的建筑底层的三个房间。展厅是以嵌入的方式融入建筑中的，并且展示设计方式以陈列展品、肖像画，以及文字和图片的平面设计为主，在有限的展示环境中，挑选了具有特点的展台对实物展品进行展示，展墙弧线的造型、局部的踢脚凹陷、虚实空间的结合以及整体环境色彩的构造，都与老建筑相得益彰，展现了欧洲古典时期典雅的设计（图 2.13）。同时，海德堡大学中拥有数处关于大学教具的展示，该大学单独开辟的关于大学特殊历史时期的展示空间——学生监狱（Student Prison），目前是该大学最受欢迎的经典场所之一（图 2.14）。

图2.13　海德堡大学博物馆

图2.14　海德堡大学学生监狱

也有一些国外大学在自己的博物馆中融入城市文化的发展历史，从而展示出大学对于该城市发展的重要作用或是作为城市重要的角色出现。如苏格兰第一所大学——圣安德鲁斯大学始建于 1413 年，其大学博物馆中有四个画廊，以基础陈列的展示设计手段为主，利用平面的展示设计，展示大学历史、艺术品收藏、科学研究和自然历史藏品（图 2.15）。意大利米兰理工大学拥有两个小型的展室，设有经过设计的横向和纵向的档案抽拉展柜，也包括一些视频等动态展示，并提供语音导览和一次性耳机。整体展示空间设计向上延伸，是米兰理工大学师生所拥有或设计的一些创意产品，再往上，则是不同专业的英文单词和意大利语单词。这些设计共同回顾了米理的校史以及对未来的展望，天花板是一片白光板，似有模拟欧洲教堂圣光的感觉，寓意往上看一望无垠。两个小展室之间的连接走廊间吊挂着不同专业单词的霓虹灯装饰。展板上还放置了一些可以带走的宣传小册子，有不同的专业介绍，观众可以按需取阅（图 2.16）。

图2.15　圣安德鲁斯大学博物馆

图2.16　意大利米兰理工大学基金会运营的大学文化展示空间

同时，笔者在调研中还发现，一些韩国大学拥有和我国大学校史馆相近的大学文化展示空间，它们大部分的展示设计都呈现出与中国大学校史馆 1.0 阶段相似的特征，主要是聚焦于大学校史文化输出的设计手法和空间布局，有一些大学则采用了如同纪念碑一般的形式，在石质材质上印刻上大学历史、校徽以及校友名称等，打造出如景观雕塑一般的形式（图 2.17、图 2.18）。

图2.17　韩国汉阳大学历史馆

图2.18　韩国国民大学校史景观展示墙

（3）海内外大学校史（展）馆展示设计对比

综上所述，可以发现国外大学中用于展示大学校史、文化等，类似大学校史馆的展示场所，在展示内容上大多与传统西方大学相同，以收藏自然科学、艺术品等为依托，对于大学历史的描述也以艺术品以及教具等实物、文字和图片相结合的形式进行展示，对展示空间有一定的设计关怀，但是就规模来讲，并没有当代中国大学校史馆对于大学文化全方位展示的内容信息量大。同时，国外大学的大学校史或大学文化展示在大学中呈现分散式的展示形式（如海德堡大学在各个学院中分散进行一些历史展示）。但我国大学校史馆则呈现出以大学主脉发展为核心关注点的叙事逻辑，尽管很多中国大学在校园中也拥有专题性的大学文化展示场所，但是总体呈现出以校史为核心、单独开辟展示空间——大学校史馆的特性与发展趋势。在空间展示设计上，国内外大学校史馆都呈现出明显的以文字为主（个别大学会有一些调整，如中国人民大学校史展），以实物、图片等为辅的特征。从设计技术的应用来讲，国内外大学校史馆在设计中利用率均偏低，或者说是对于互动类展项的设计规划均偏少。

作为具有一定中国特色的大学文化展示空间，我国大学校史馆尚处于成长期，对其展示内容的分析以及提升展示效果的设计工程还在逐步推进中。笔者认为，基于我国大学校史馆现状的调研，一方面带来了集中展示我国大学文化力量的巨大潜能，另一方面也展现了拓展大学校史馆展示设计能力的机遇，在具体命题、时代需要、文化展示等多标签下，大学校史馆的展示设计正迈入蓬勃发展的成长期，因此，对于展示主体、目的等展示内涵和形式相近的展示项目设计策略与方法的学习都是必不可少的。

2.4 大学校史馆与其他相关展示设计案例的比较研究

从大学校史馆的功能和展示场所的核心需求出发，在横向领域寻找其他相关的展示设计案例进行对比分析，从而发现大学校史馆与这些展示设计案例在表达主题文化时采用的方法的异同，可以更加明确后续大学校史馆展示设计研究的发展方向。结合前文对大学校史馆功能的分析，下面对与文化记忆理论和展示设计发展趋势相关的展示设计现象展开探讨。

利用展示设计充分呈现设计对象，是对展示对象进行信息拆分的过程，而为了使信息能够更好地传达给观众，需要关注展示设计的时空语境，寻找恰当的表达手法。同时，为了让展示对象能够更好地被观众理解（如展示对象的特点、文化），并能将其集中在一个限定空间中，成为设计的挑战，考验展示设计转译的能力，即让不可见变为可见，让可见的设计形态变得更易被理解、记忆和认同。

在法国巴黎的城市地标之一——埃菲尔铁塔中，我们能深刻感受到一个景观建筑物在时间的沉淀中散发的魅力。埃菲尔铁塔始建于1887年，是为迎接1889年的巴黎世界博览会而建造的。在建造中，项目团队凭借高超的建造工艺，以及对材料美学与结构的极致把控，使埃菲尔铁塔成为科技的象征与时代的体现。埃菲尔铁塔高大的形体、纤细精巧的结构，令后世观众对那个时代的建造工艺、设计审美，以及法国的国家力量、国家形象、国家文化都有着深刻的印象。历史上，埃菲尔铁塔也曾发挥过电讯实验和电视传播的功能。因此，埃菲尔铁塔从建筑设计、纪念装置设计和展示设计方面来讲都是成功的，其象征功能和审美功能为后世的设计发展留下了不可磨灭的范式（图 2.19）。

图2.19　法国巴黎埃菲尔铁塔

正如法国思想家罗兰·巴特（Roland Barthes）所说，埃菲尔铁塔是城市、时代、科技的象征，同时又让人联想到火箭、昆虫。它在人们理智的认识和梦幻的想象中，成为巴黎甚至是法国的象征。以至于当它仅仅化作纸上的轮廓时，依旧能展现出神话般的象征力量。通过将时代的技术成就、国家的审美形象，乃至关怀时代发展的语境等利用设计进行综合转译，最终使埃菲尔铁塔成为一个成功的符号，它是宏大叙事在一具体设计形态上凝聚时空的体现，并成功地成为法国“记忆”，被世界人民铭记至今，载入史册，成为每个人都记得的关于法国巴黎的文化记忆。通过这一案例分析，我们能感受到设计符号对于设计内容传达的重要性，以及构建这个符号的组成也需要极为丰富的、对于展示内容信息的拓展理解和再整合能力。

具体到展示空间中，若想更好地传达文化记忆，从而让观众对记忆背后的文化有深刻的认知和理解，并为文化集体构建一个记忆的场所，让个体可以缅怀，让社会得以认识和反思，就需要从展示文化记忆本身出发。根据阿斯曼的讲述，对于如何回忆和描述第二次世界大战，尤其是纳粹对犹太人的暴行，是触发德国等国家对战争记忆研究的关键，在设计领域也因此诞生了很多经典的设计作品。正是因为在不同年代，各个领域的“设计师”借助时代语境下人们能够接受的方式，通过不同的媒介对这些记忆进行再一次的“重构”（主要是形式上和切入点上），让世界、社会始终铭记这些给人类带来悲痛的历史，战争记忆被稳定在各种形式的设计演绎中。

波兰犹太裔建筑师丹尼尔·李伯斯金（Daniel Libeskind）设计的柏林犹太人博物馆，其复杂扭曲的外形，仿佛犹太教符号“大卫之星”，因此也曾被比拟为一颗爆炸的犹太星星，或者是一道打在石头和玻璃上的闪电。

李伯斯金在犹太人博物馆建筑中设计了一个通道，但尽头没有道路，而是一个黑暗的空间，即大屠杀塔（Holocaust Tower），让光从空间的一条裂缝中渗透出来，但从人的视角来看，这条裂缝很难被辨识。在主展厅中，李伯斯金还通过“空虚的记忆”这一空间中万余枚被称为“落叶”的拟人铁面碎片，来纪念那些饱受折磨、无辜逝去的生命，而观众在行进过程中，碎片会发出金属的撞击声，为那些已经无法再次发声的灵魂制造摄人心魄的“灵魂呐喊”，从而深深地触动观众的心灵。

犹太人博物馆中的花园，其景观装置看似是不规整的设计，让观众有迷失方向的晕眩感。这座花园是为纪念那些被迫离开柏林的犹太人而设计的，利用不舒适的空间设计，让观众切身感受到当年受到迫害的犹太人内心的绝望感。同时，犹太人博物馆这个新建筑的通道与柏林博物馆本体相连，必须通过柏林博物馆才能进人，以强调它们彼此之间不可磨灭的联系。在这座博物馆的设计中，设计师将整个展示空间运用了起来，用一种扰人的、扎心的、非线性的设计方式，表现出了犹太人在面对残酷战争时人生方向的迷失、空洞、悲伤和伤痛过后生命消失的虚无。

该博物馆也被称为“线之间”，其布有两条线，一条线化身为建筑的实体符号，另一条化身为充满伤痕和迷茫的线，代表了犹太人过去与现在、历史与现实的交织。线条的符号也在外立面得到了运用，建筑表面大量杂乱无章的线条和难以理解的空间意象，是居住于柏林的犹太人居所在地图上的形态，没有章法的、伤痕累累的建筑表面，表达了犹太人被屠杀期间难以言喻的苦难（图 2.20）。

在这样表达强烈的文化记忆情感的展示空间中，既包含艺术的创作，也包含对一些重要行为的阐释，可以从两个不同的层面对此进行分析，一是美学层面，二是符号层面，两者之间有密切的联系。通过艺术美学的设计，去弥补再也无法在场的感受，被接受、被感知、被纪念，同时将遥远的事件从细碎的文字和图片中抽离，化身为更加具有文化群体代

图2.20　柏林犹太人博物馆

表性的符号，放大了所表达内容的文化属性。

与大学校史馆最为相似的展示空间，莫过于地方博物馆中对地方历史的展示空间。大学与城市一样，既拥有过去，也立足于当下，同时还拥有未来。城市历史的展示如何呈现，对于大学校史馆的展示设计来讲具有极高的参考价值。

例如首都博物馆的常设展“古都北京·历史文化篇”，与大学校史馆的策展核心极为相似，即都是按照历史叙事的模式，以大的时间线为线索进行展开。但是该展览的策展模式是让北京的历史时间线与世界的时间线齐头并进，使观众在观展过程中能够以全球维度的参照系来观照地方历史，从而使观众在比较性的观展中，可以更好地认识地方文明进程。同时，也能够将地方文化记忆置于宏观的人类文化记忆中，并寻找其中的关联，从而使人们能更加客观地理解局部文化记忆发展的原因（图 2.21）。

图2.21 “古都北京 · 历史文化篇”——“北京线与世界线”

在展示设计上，该展览利用了模块化的展示空间，从而为复杂的历史内容找到了整洁的视觉呈现效果。展示空间上层是标题和相关信息，中层突出实物展示，下层是延展的文字说明。深度优化的媒介传达结构，使观众站在展柜前时多会产生面对着一本巨型三维图书的印象，凸显了传播内容的主次。该展览以历史留存的实体记忆为主，而文字和图画这些原本从文物展品中衍生出来的媒介形式居于次要位置，与一般的历史展览形成对比。

设计师为了让观众对历史本身进行深入理解，而不是专注于通过文字和图片这种次生的媒介对历史进行理解和诠释，针对世界史的部分，在外墙上利用平面设计的形式，营造空间氛围、展示主要内容。整个展示设计突出了让观众在实物展品中寻找历史的特点，让“北京历史”这个核心展示符号得以充分彰显，也让观众能够通过自己独特的感知方式和渠道对展览传播的信息进行自主解码和接纳。

鉴于该展览的主题关于特定地域文化历史，其核心观众是北京市民，因此在展示设计上突出了北京历史发展的“积极”方面，为核心观众奠定对于自身地域历史文化认同的基础。正因为如此，展览从展示内容到展示设计，都必须有关于历史传统文化，并且能够具有一定的设计视野，应是独一无二却又能够面向世界和社会的，是沉淀的但同时又富有活力的，从而让每个人都能找到其个人所希望的城市文化特征（图 2.22）。

最后，无论是在李伯斯金的犹太人博物馆中，还是在“古都北京 · 历史文化篇”展览中，观众主要分为两种类型，即犹太人（亲历群体）与德国人（大众）、北京人（亲历群体）与中国人（大众）。展示场所的建立，不仅是这些亲历者在历史时刻中的自我定位，也是群体对共同事件认知的缅怀，从而形成文化记忆。对大众而言，这是接触史实的

图2.22 “古都北京 · 历史文化篇”展览

途径，也是从中学习、了解、亲历群体过往的机会。通过这些展示场所，让大众认可群体的过往，保护、尊重他们的文化记忆，最终实现一个社会共同的认同。

综上所述，无论是从不同设计形式回归到展示主题，还是在空间中利用展示设计呈现文化记忆，在与大学校史馆横向对比的设计案例中，都表达了符号化的设计和设计的符号化解读，为设计对象和展示设计带来了更加全面的观看视野。在符号的展示叙事中，我们可以将文化记忆的物质层面、精神层面进行展示叙述。一方面，这是丰富设计形态的手段，能让展示内容更好地在当下的语境中被传播，但更重要的是，对当下文化记忆的重构应翔实而深刻，对人类文明进程中这些或积极或悲伤的事件进行文化记忆的保护，认同相关群体的文化，从而使这些多样的文化记忆得以在不同的人、不同的群体文化中被保存与传承。另一方面，这种具有明显主题对象表达的展览设计，尽管面向公众开放，且如同当代展示设计一样，注重以人为本的设计方式，但是也都有属于自己的观众层次，即通过展示设计确定首先要表达的对象。注重传播的文化记忆在核心观众圈层和主题文化之间的交流，以达到文化身份认同，并借助展示的平台，促进文化的传播与认知。

2.5 当代中国大学校史馆展示设计分析

本节将对当代中国大学校史馆展示设计的特点和发展趋势进行分析、总结和研究，为后面开展大学校史馆展示设计策略和设计方法的研究，以及具体设计目标的提出做好铺垫。

2.5.1 当代中国大学校史馆展示设计特点分析

当代中国大学校史馆直至今日仍未被纳入大学博物馆的体系中，这也让笔者能从博物馆的视角和展示设计多元层面的应用中，拓展自身的展示设计发展方向。笔者认为，我国大学校史馆经过了从 1.0 阶段到 2.0 阶段的不断迭代，正在迈向 3.0 阶段。大学校史馆的 1.0 阶段，是我国刚开始兴起建设大学校史陈列室、校史展，宣传学校历史起源发展的初始阶段。在这个阶段，我国大学校史馆的展示设计呈现出平面化、单一化、宣传化的特点。随着校史资料的积累，社会文化交流的扩大，开放的文化理念的产生，以及全球化博物馆体系在我国的推广，我国大学校史馆迎来了 2.0 阶段，大部分高校开始对学校历史的展览进行设计、定位，以期将尘封的大学历史档案进行展出，并在我国社会时代的变迁中，令大学的发展与国家各行各业的命脉相连，丰富大学文化的展示层次、维度。在展示设计方面，增加了更多视觉审美、空间设计元素，并引进了一些互动技术等，但是整体呈现出模式化的趋向，即大学校史馆的展示形式趋同，从展览策划开始，其叙事语言、对于纪念性内容的主题艺术表达以及空间的整体设计仍有待进一步深入挖掘。

20 世纪后期，随着科学技术的发展，全球化的流变促进了文化交融，若想让大学文化在这样的巨浪中依然可以扬帆远航，就需要大学文化自立自强。国家将对大学文化教育的需求与期望的目光转向了全球的舞台，在这样的情况下，大学愈发飞速地发展。笔者认为，一个大学的根挖得足够深、足够粗壮，才能更好地向上生长，因此，关于大学文化记忆的建设，从未像今天这般迫切。散落在大学每个角落的各种文化现象、文化记忆都是由大学人构成和生产的，它们被时间浸染和筛选过后，最终变成大学校史馆展出的记忆闪光点。这种对人本思想的关怀、展示和重视，也正是当代社会与设计整体大趋势中对人的关怀的体现。

结合前文对大学校史馆功能（历史展示、德育、形象塑造、大学文化建设）的分析，以及对横向案例的分析比较，笔者总结出当代中国大学校史馆展示设计具有如下特点。

（1）展示叙事模式稳定化

在大学校史馆展示传统的影响下，大学校史馆的展示逻辑普遍呈现出叙事模式较为相近和稳定的状态。尤其是在我国的综合类大学中，以大学发展时间线为主，以专题为辅，亮点次之。尽管目前有的大学呈现出专题增加的趋势，但是仍不能脱离大学主线对于整体的稳定把控。

（2）展示媒介大众传播化

大学校史馆的展示媒介普遍以大众传媒为主，即关注信息的发送，但是鲜有反馈。即使有交互场景的出现，交互的目的仍然是让观众去获取信息，而不能实现即时信息的反馈。

（3）展示观众对内化

大学校史馆的功能和展示需求上存在明显的观众分层，即大学在校学生及教职工、大学相关人员、社会各界。这种分层在运行模式中有所体现，但在展示设计形式上却未能与之适配——既然核心展示群体是“大学人”，展示语言本可更“内化”，但当前设计却更趋近大众化的观赏模式。这里的“内化”有两重含义：一方面是以大学人为核心受众；另一方面是指展示设计形式应更贴近大学文化特色，而非从外界寻找形式设计的编码手段，这也正是大学校史馆应具备的展示内化属性。

（4）展示设计形式保守化、趋近化

大学校史馆的展示设计呈现出稳定、保守、趋近的设计形式。尽管一些大学校史馆已经开始在设计中向个性化发展做出努力，但是大环境的现象却是，纵然大学校史馆展示表象基于不同的校史积累，可以带来一定的区别，但是对其内涵却没有更加深刻地进行表达。

2.5.2 当代中国大学校史馆展示设计发展趋势

基于对当代中国大学校史馆各方面展示设计内容的研究，从观众层面来分析，大学校史馆是一个更加聚焦于大学内部的展示场所，注重文化教育、传承与认同，是内化的群体文化展示场所。同时，它有助于大学人在展示大学过去文化的空间中，进行大学人的身份识别、定位，就像是“古都北京·历史文化篇”展览一样，有助于人们进行文化认同、集体认同，增加文化群体力量，是个体和群体的文化识别与共生的场所。

这种关于文化认知的更迭、群体文化的不断丰富，也成为除了制度支持外大学校史馆展示设计更新的动力。大学校史馆应该随着时代语境的变化进行积极的更新，促进大学文化生态的发展，并使每一代人对大学文化具有更加深刻的理解。

（1）当代中国大学校史馆展示策略与形式符号化

① 展示设计策略符号化。通过展示设计构建大学校史馆，使其成为文化记忆的空间实践场所，这是文化记忆在空间中的符号化建构过程。赵毅衡教授将符号定义为：符号被认为是携带意义的感知，意义必须由符号才能表达。笔者不再引用过多符号学相关的知识，此处主要是为了表明大学校史馆的展示对象——大学，在大学校史馆中主要由大学文化记忆组成。过去的内容本身不具备更多意义，只有在当代的语境中被有机地设计组合、转译、传播，才能够让观众得以学习、认知。大学校史馆正是大学文化被转译的一个巨大的符号。

在“校史馆”这个符号中，大学文化记忆作为大学文化的组成部分，通过当代的重构、再认知，借由不同种类、不同维度的媒介实现携带和传播。通过调研分析能够得知，大学校史馆作为一个展示文化的场所，为了能符合时代传播信息的语境，必须具有一定的展示设计更迭性。同时，在前面的案例分析中可以看出，符号化的观念在展示设计项目中，尤其是带有纪念性的空间和主题文化表达的展示设计项目中，具有强大的支撑设计分析和设计方法的作用。因此，将符号化的思维引入当代大学校史馆展示设计策略中，对于分析设计过程涉及的研究对象，即大学校史馆的展示设计、观众、大学文化记忆和大学文化，具有重要的指导意义。只有在设计的过程中将这些元素有机地联动起来，才能构建一个属于大学和大学人的独特的大学校史馆。

② 展示设计形式符号化。从展示设计发展的另一个角度，即具体方法角度来看，展示设计的原生工作是传播信号，以及如何更好地让信号中携带的信息被感知。将展示内容尽可能地艺术化，在符号的理解中，是对观众更多的关怀。同时，这也能满足大学校史馆展示设计发展中对观众进行设计关怀的需要。在符号的理解中，艺术表意的特点是对象指称尽量少，专注于解释项，外延尽量少，只有这样才能让内涵更加丰富。笔者认为，通过对大学文化记忆进行具有美学特性的设计展现，如同利

用大学校史馆展示设计为大学创作了一首诗。同时，在符号化的过程中，展示设计为观众提供了除认知逻辑外的形式美、感知美等艺术表达，让观众能在观展过程中对大学文化进行充分的艺术化欣赏和理解。

（2）当代中国大学校史馆展示设计媒介融合共生化

为了能够持续地传承、传播大学文化记忆，借助大学校史馆的展示空间使之得以稳定地被回忆，在展示空间设计中，设计师和相关工作人员对不同的媒介进行了高度的组织化，以维持大学校史馆整体展示空间的认知效度。同时，综合前面对展示设计发展特性的描述，以及结合大学校史馆对于展示观众认知反馈的需求，其展示设计必然走向不同维度的媒介融合共生的道路，只有这样才能够在更多维度上展现大学文化，并满足传播信息的双向沟通需求。

（3）当代中国大学校史馆展示设计内容传播双向化

无论是大学校史馆本身的发展还是其展示设计的发展，都要关注到被展示的大学文化与观众的反馈。这种关注涉及大学校史馆展示设计策略的研究。观众是展示设计环节中信息的接收端，应选择适宜的设计表达形式、技术等，使观众对展示内容产生大学文化记忆的共鸣，这是十分重要的。同时，应结合大学校史馆的功能、展示内容的需求等，借助大学校史馆的平台，尤其是对大学人而言，使展示设计能够满足大学文化教育与传播、文化认同与集体认同以及文化共生的需求。因此，在大学校史馆的设计策略中，区别于曾经大学校史馆展示的 1.0 阶段、2.0 阶段，展示内容传播的双向化也是整体策略建构的重要环节。

（4）当代中国大学校史馆展示设计促进文化生态化

促进大学文化生态化具有双重含义。第一层含义是在展示设计初期，对我国大学自身特色文化的挖掘和重视。只有充分挖掘独特的大学文化，才能打造更好的大学校史馆，形成具有传播效益的大学文化教育基地。第二层含义是，充分利用展示设计的能量，对大学文化进行全方位的展示，借助有效的信息交互，即通过展示设计转译大学文化内容，让更多的观众可以理解大学文化，对大学校史馆的展示进行有效的反馈，可以说，这有助于大学文化生态的保存和再发展。

在大学校史馆中，大学文化记忆作为展示内容或展示信息，如何能够在这种有明确展示观众分层的具体语境中被认知、理解，并实现信息交流，以促进大学文化生态的发展，是一个关键问题。同时，为了达到理想的大学文化传播效果，结合相关案例的研究学习，在展示设计中，通过对展示内容符号化的设计转译，使具体内容象征化、艺术化，实现一种沉浸式的文化认知设计表达，进而提升观众的认知兴趣和理解感悟能力，也成为大学校史馆未来发展的重要方向。

文化记忆理论指出，文化记忆对于媒介的依赖性是非常强的，通过展示设计，将文化记忆附着在特定的、被设计过的媒介上，使之被理解、传承和传播。需要引入具有极强理论延展力的符号化思维，对这种媒介转译形式进行设计策略的分析。在第 3 章中，笔者将针对文化记忆媒介化的必要性，以及符号学中符号传播、符号设计转译的相关理论进行深入探讨，从而详细地论述文化记忆和符号学的思想如何在大学校史馆的展示设计策略建构和设计方法研究中为笔者提供解题思路，同时也凸显了在文化视角下研究大学校史馆这类主题文化展馆的重要性。

第3章

当代中国大学校史馆展示设计策略与方法建构

3.1 大学文化记忆展示设计的多维媒介转向研究

3.1.1 文化记忆媒介的转向与传播维度分析研究

（1）文化记忆媒介的转向

当代西方视觉文化和图像研究领域的前沿学者，美国芝加哥大学艺术史与英语文学系教授 W.J.T. 米歇尔（W.J.T. Mitchell）曾表示，一般所说的媒介就是形象和物体、虚拟外表或幻想与物质支持之间的结合。其认为“媒介”是将形象和物体结合到一起而产生出一个图像的一整套物质实践。因此，传播中的媒介有两种含义：第一，它是信息传递的载体；第二，它是指从事信息的采集、加工制作和传播的社会组织，即传媒机构。人们之间交流所用的载体是私人媒介，面向社会公众传播信息的是大众传播媒介。

本书中关于文化记忆媒介的需求和媒介转向的思考，让笔者将展示设计这种信息传递和反馈的设计手段与媒介相关的传播学理论研究发展关联起来。前面提到，阿斯曼夫妇笔下的文化记忆基于其传承的需要，以及展示设计的特点与发展趋势，总是依附于一定程度上可以传播的载体上，这样文化记忆才得以被稳定地传承下去。那么基于文化记忆理论的特性，记忆如何被呈现、回忆如何在当代被唤起、记忆如何促成集体与个人的文化认同，成为不断被谈论的学术话题。

在关于文化记忆的理论研究中，不仅提出者扬·阿斯曼和他的夫人阿莱达·阿斯曼二人对文化记忆的媒介转向有所涉及，还有与阿斯曼夫妇同期的法国学者皮埃尔·诺拉，其著作《记忆之场——法国国民意识的文化社会史》是关于文化记忆媒介研究的重要学术作品。20 世纪 90 年代，阿斯曼夫妇提出文化记忆理论并加以阐释，针对文化记忆媒介的表现，他们认为“文化记忆关注的是过去中的某些焦点”，文化记忆附着在一些客观外化物上，而文化意义则以某些固定形式被包裹其中。文化记忆以文字、图像、舞蹈等媒介进行编码和展演，时间跨度很长，具有超越政权的特性，其载体是专职成员或机构。

在《昨日重现——媒介与社会记忆》这篇文章中，阿斯曼夫妇从文化角度讨论了媒介与记忆的联系，并对连接它们的媒介形式进行了探究。在这篇文章中，阿斯曼夫妇把文化记忆媒介在人类社会中的发展分为四个阶段：口头媒介阶段、文字媒介阶段、印刷媒介阶段和电子媒介阶段（图3.1）。并且，不同的时代语境，以及社会文化、媒介技术差异等，都对特定社会关于文化记忆的留存、发生所呈现的文化符号、编码形式有一定影响。

图3.1　媒体技术的发展阶段和社会记忆的变化

通过上述内容可以看出，文化记忆随着依附媒介而稳定自身，在不同的社会语境下通过媒介进化的多样性进行保存和依附，甚至可以借助媒介改变自己的样貌，从而激发更多的储存在文化记忆中的文化力量。

文化记忆的媒介材料决定了文化记忆空间的组成形态和结构。这些媒介材料包含了文化记忆对象在物质层面、精神层面、社会生产层面的所有内容。而这些文化记忆信息中，又包含了生产记忆的群体共同的文化价值体系，关于文化记忆的回忆与认同共同打造了一个文化群体的延续性和凝聚性结构。文化记忆的空间形态就如同展示大学文化记忆的大学校史馆，回忆空间的展示与打造不仅需要考虑媒介的技术维度，同时也要结合大学文化记忆系统的组成。

几乎在阿斯曼夫妇提出文化记忆理论的同一时期，法国历史学家皮埃尔·诺拉（Pierre Nora）也开启了他对法国国民文化记忆的研究。诺拉编著的《记忆之场——法国国民意识的文化社会史》一书，尝试探讨了塑造法国国民意识的“记忆之场”。诺拉提出的“记忆之场”具有三种意义，即实在的、功能性的和象征性的，包括所有记忆残留物存在的场域，如纪念碑、博物馆、档案馆等，凝聚着一个群体乃至一个国家的集体记忆。诺拉认为，这些媒介中均附有关于法国的记忆，而这种记忆塑造了法国人对于法国和自身的认知，形成了文化记忆。有学者评价这部著作是“关于记忆叙事的百货店”。相较之下，阿斯曼夫妇认为，促使记忆发生的“记忆形象”有可能源自“神话、舞蹈、流行语、概念、口号、引文以及一般的身体感觉、情感状态和身体姿势”等。诺拉和阿斯曼夫妇的论述，都为大学文化记忆空间——大学校史馆展示元素的构成提供了极为广阔的天地。

（2）文化记忆媒介的传播维度分析

文化记忆需要媒介，媒介对于展示设计而言也至关重要，展示设计正是通过媒介或技术使展示信息得以传播的。而阿斯曼夫妇针对文化记忆媒介的分析，也明晰了文化记忆的关键之一在于媒介，因为唯有通过媒介的外化，个体记忆、文化知识和各种历史的版本才能被共享。我们正处于一个比以往更加注重技术的物化，并通过这种物化来传递信息的社会，当代媒介社会的特征引发了如下假定：与以往任何时候相比，今天的文化记忆也许更加依赖于媒介技术和媒介产品的流通。

在研究中笔者发现，阿斯曼夫妇关于文化记忆媒介的研究与美国传播学者哈特（Hanno Hardt）关于媒介形态的发展研究以及丹麦传播学教授延森的媒介传播维度研究有着异曲同工之妙，对这些研究的对比分析，将更好地展示文化记忆媒介在传播过程中如何发挥自身的媒介力量。

根据哈特对媒介形态的历时考察，可以将媒介系统分为示现的、再现的、机器的三类。示现的媒介系统是人类首先使用的，主要指人类的口语和非语言符号，是依靠人自身的媒介系统。再现的媒介系统包括绘画、文字、印刷等。在这类系统中，信息接收者不再需要这些物质工具，只需要单向地接收信息即可。机器类媒介是技术发展的产物，如电影、计算机等。这类媒介强调信息传送与接收的双方均需要媒介。在哈特看来，这三类媒介出现的顺序与人类媒介技术的手段有着密切关系，同时也体现了信息传送功能向外扩张、信息系统逐渐独立的过程（图 3.2）。

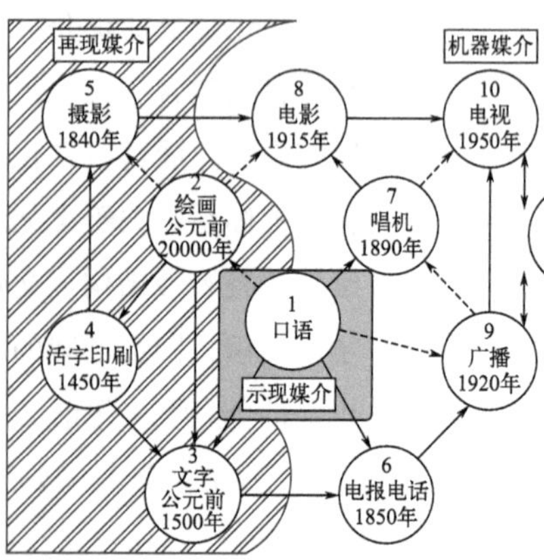

图3.2 传播媒介发展史概略

哈特对于媒介系统历时性的划分，也对应了在当代媒介与传播学术研究领域具有权威性的丹麦哥本哈根大学教授延森所提出的三个传播维度，即以身体和工具作为媒介的人际传播（第一维度），以技术的产物作为媒介的大众传播（第二维度），以及充满数字媒介、“元技术”的网络传播（第三维度）。

第一维度，人际传播。延森认为，我们可以将人类看作一种媒介。人的身体是一个综合性的传播平台。身体作为传播媒介，拥有生产性和接收性，能赋予人们彼此交流和传播信息的能力，从而实现思考和工具性目的。

第二维度，大众传播。对于大众传媒我们已经有普遍的理解，它指以一小群传播者为中心，向广泛的受众群体发布相同或相似信息的媒介。这一类型的媒介，如印刷书籍、电影等，具有两个普遍特征。第一，它们可以对特定内容进行 1∶1 的复制、储存和展现；第二，它们拓展了信息扩散的范围，打破了时空局限，同时依靠技术传播，对于在场者并不产生依赖。在媒介的更迭或者是传播维度的更迭中，过去的媒介从未消失，新的媒介仅仅是为了让观众更好地参与到对媒介传播内容的诠释活动中，并且还令媒介建构成为传播实践的一部分。

第三维度，网络传播。源于延森对于数字媒体的思考。数字媒介凭借其强大的技术能力，既包含了前两个传播媒介的功能，同时还可以对它们的存在进行整合，展现出不同维度和综合维度的传播模式。

阿斯曼夫妇媒介技术发展、A. 哈特媒介系统演变与延森传播维度的对比见图 3.3。

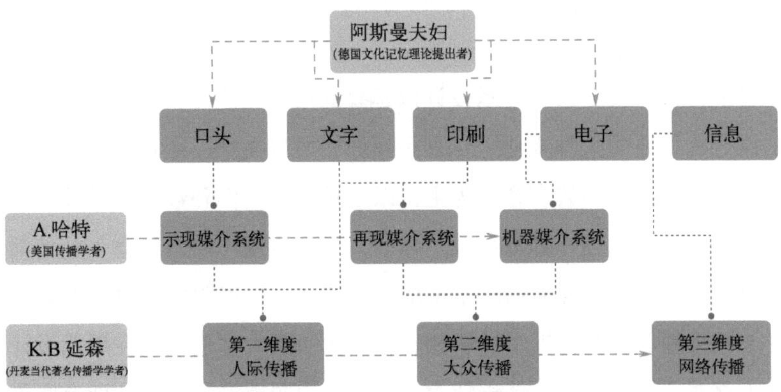

图3.3　阿斯曼夫妇媒介技术发展、A. 哈特媒介系统演变与延森传播维度的对比

通过对媒介类型与传播维度的整合，笔者认为，在文化记忆的相关研究中，阿斯曼夫妇等人对文化记忆所承载的媒介形式的选择与在不同

时代下对于文化记忆的重构及媒介形式息息相关。这是因为社会在技术的推进下，信息传递的方式不断更迭，并且媒介传播的多维度应用也在不断增加。为了让过去的记忆更好地保存和传播，在选择文化记忆的媒介时，必须考虑到创造记忆的时代与记忆被回溯的时代语境。同时，展示设计的任务之一就是帮助展示对象强化信息的展示，进行有效传达和有预期的信息反馈。同时再借助一定的媒介和技术，令主客双方有机会进行信息交流。媒介与传播学相关的知识，为笔者研究文化记忆媒介融合共生的发展提供了有力的理论依据。根据以上理论之间的互相结合，笔者将在下面两个小节开展针对大学校史馆展示内容（即大学文化记忆）在不同展示传播维度中的媒介组成分类以及融合共生理论的研究。

3.1.2 大学文化记忆媒介的研究

（1）大学文化记忆媒介的传播维度发展分析

与文化记忆相同，大学文化记忆也随着人类社会的发展呈现出不同维度的媒介依附特征。现代大学校史馆中，文化记忆媒介的承载形态更加趋近于从阿斯曼夫妇总结的第二阶段（即文字媒介阶段）开始，再到印刷媒介阶段，一些大学还发展到了互动化的电子媒介阶段。大学校史馆中关于文化记忆媒介特点的分析，可以印证加拿大传播学家麦克卢汉提出的“媒介即信息”这一观点。这些呈现在展示内容上的特点，或者说与当代中国大学校史馆展示进一步发展的矛盾点，也同样体现在大学文化记忆的媒介转向中。

目前，大学校史馆的展示设计以延森的第二维度（大众传播）所包含的媒介为主要的大学文化记忆展示媒介，即以文字、图片、实物和影像（没有声音或者不放声音）为主，以主题艺术创作和数字技术体验为辅或者无主题艺术创作和数字技术体验。第三维度（网络传播）的传播媒介符合社会当下对媒介需求语境的客观关注，即有限的信息交互装置等。与相关领域的其他展示场所相比，当代中国大学校史馆在展示设计表达上存在一定差距，具体表现为在综合运用两类设计方法方面有所不足：一类是第一维度（人际传播）中以人体为媒介的展示设计，另一类是第三维度中以机器、信息技术为载体的展示设计。虽然一般大学校史馆都配备有讲解员，看似是第一维度人际传播的“展示模式”，但讲解员仍然是以大众传播的展示媒介形式存在，而忽略了对第一维度中身体媒介利用的深刻理解。

回到前面提到的一句话，“过去的媒介从未消失，新的媒介仅仅是为了让观众更好地参与到对媒介传播内容的诠释活动中”。大学文化记忆在大学校史馆中的媒介载体普遍呈现出比较固定的传播维度，这主要是由于对大学文化的宣传以单向信息传输为主。因此，为了让大学文化记忆在大学校史馆的展示过程中充分发挥文化记忆媒介的能力，就应整合前两个维度的能力，这对于大学文化记忆媒介设计的丰富性而言十分关键。

（2）大学文化记忆媒介形式的发展研究

媒介形式呈现出可控制性、可转译性、再媒介化的特征。同时，在文化记忆的承载中，媒介依照历史发展呈现出从身体思想、二维平面、三维空间到多维认知的发展倾向。结合当代中国大学文化记忆的内涵，大学文化记忆的媒介形式同样在发展过程中有所呼应。

① 媒介的可供性与可控性，将文化记忆媒介引向了文化视角与群体文化识别的关怀，也将文化记忆媒介引向了重返第一维度（人际传播）的趋势。基于上述分析，不论是文化记忆媒介本身，还是在大学校史馆中的大学文化记忆媒介，大多数媒介特质都共同反映了一个关于媒介的普遍现象，即无论是简陋的工具还是复杂的信息技术，它们都是人类后天创造的。正如阿莱达·阿斯曼所说的“媒介作为物质的支撑，对文化记忆起到基本的扶持作用，并与人的记忆互动”。

人类是一个特殊的生物群体，因为我们可以选择和改变包含自然资源等在内的所有我们能接触到的可供性事物。凭借主观能动性，人类能对自然的、文化的等一系列资源进行媒介打造，为个体思考和社会讨论提供素材，这体现了媒介的可供性。但是同时这种媒介形式的创造又依赖于一系列人类所掌握的技术等复杂因素，因此媒介具有可控性。媒介可控性的设计应用，在于媒介能否令目标群体开展有效的可控分析。

大学文化记忆本身也是针对某一群体的文化记忆，因此，为了使其媒介设计达到理想的使用效果，即在信息的传播中促使观众对信息进行反馈，对于媒介的选择或设计，往往要基于群体观众的“隐性知识”或社会交往“习性”和“实践意识”。

例如在北京大学校史馆的展示设计中，利用了北京大学京师大学堂时期的旧牌匾，并依据老校长蔡元培先生所提出的办学方针，营造了一个拥有序厅功能的展示空间（图3.4）。对于普通观众来讲，这两个物质化的媒介首先说明了北京大学历史悠久，并拥有“思想自由，兼容并包”的办学理念，但是对大学内部人员以及校友来讲，这代表了于乱世起家的北大精神延续至今，是每一个北大人的精神感受空间，也体现了对北大先辈学术精神的缅怀，对于北大人未来走向社会具有精神鼓舞与警醒作用。这样的觉悟和精神体验，对于一般的社会观众而言，往往难以领会。即使如此，大学校史馆在对文化记忆内容的媒介进行选择时，仍应更加关注大学群体的解读“习性”，只有这样才能更好地凸显不同大学文化记忆的特色。同时，这种对观众解读信息的关注，也再一次回归到了第一维度（人际传播）中对人的关注，注重实现信息互相交流与传播的能力，以促进人们对内容的深入思考。

图3.4　北京大学校史馆

② 媒介的可转译性为文化记忆传播提供了更多渠道、层次。媒介是文化记忆内容的双重表现，既是形式也是精神，就像京师大学堂的牌匾不但承载了北大悠久的历史，还承载了北大的精神一样。人们通过多种形式对不同的文化内容展开交流讨论，借助设计形式，可以填补文字表达中缺少的内涵。这些都体现出不同的媒介形式对于展示对象含义的解读和再表达，以扩展观众对于展示对象的理解层次。如同小说被改编成为电影后向社会大众传播，电影又转换为适合小屏幕、可多渠道传播的观赏形式。尽管在转译过程中，媒介不能将展示对象完全还原，正如意大利谚语所说的“翻译即叛徒”。但不能否定的是，媒介为展示内容的传播带来了更多的可能性。通过媒介将展示内容进行形式转译，可以应对

不同时代语境中的传播诉求和多种传播维度的需求。

③ 媒介的再媒介化，文化记忆的再次重构，寻找文化记忆中具有“能动意向”的原型，对媒介进行重构。阿莱达·阿斯曼认为，文字作为最早的媒介之一，一直稳定地存在着，并高于其他记忆媒介。文字是可以与精神等量齐观的媒介。在电子储存技术盛行的当下，文化记忆的书写和保存“不断复写和回忆重构性的原则”成为通行的研究准则。其中主要是“一种对持久写入的想象被不断复写的原则所取代”的范式转换。

每一种媒介都有它阐释文化记忆独有的路径。如何达到这种媒介范式的转化，通过阿莱达·阿斯曼对图像媒介和文字媒介之间转化的研究，可窥见一二。古罗马的记忆术强调了记忆与图像的关联。与字母文字相反，记忆术是视觉性的记忆文字，是纯表意的。如德国艺术史家阿比·瓦尔堡（Aby Warburg）的《记忆女神图集》便是利用图像打造的蕴含十分丰厚的记忆哲思的作品。瓦尔堡认定，文艺复兴的艺术家到处都在使用古希腊、古罗马的图形公式，以增加其图像的感染力及表现力。图像对于他们而言是范式性的记忆媒介。例如被薄纱裹住的水中仙女的动人形象，这一形象每一次重新出现，即使是在不同的图像媒介中，都会唤起观者对女神所象征的激情潜力的共鸣（图 3.5）。

图3.5 《记忆女神图集》内页

因此，在大学校史馆中找到某一具有代表性的设计原型是促进其释放所携带的大学文化记忆的思考路径。然而，记忆的保存形态会在时间和技术的发展下受到影响，它们在保存过去记忆的同时，也在以一种新的姿态参与到过去记忆的留存中。在充分利用媒介技术达到一种近乎“万能”的记忆重构时，要始终关注到要展示的本体——文化记忆想要表达的文化才是核心。因此，寻找每一个大学文化记忆媒介展示的原型，即由大学文化记忆组成的原型，是媒介可以再媒介化的基础。

关于大学文化记忆媒介形式发展的研究，从传播学的维度来看，其媒介需要向更多的传播维度进行转变。同时，在媒介形式上需要针对文化群体的识别发挥其可供性、可控性的媒介特点。一个媒介能够表达文化记忆物质和精神的两面，并具有将记忆内容呈现形式符号化的媒介转译能力。在不同时代语境中，媒介能够根据当代的设计需要进行再媒介化，即媒介具有重构意识。这些都为笔者在展示设计中研究大学文化记忆的媒介发展带来了关于符号设计的思路。

3.1.3 大学文化记忆在校史馆中的空间媒介化

（1）大学校史馆是大学文化记忆媒介的综合展示平台

博物馆是外在于个体的记忆之场或回忆空间，与纪念碑、公墓和遗址等同是储存集体记忆的、最值得信赖的媒介，成为现代社会的记忆器官。通过展品和叙事建构记忆，用“历史证据”证实一段真实发生过或正在发生的人类进程，植入或激发起人们的集体历史记忆，这既是当时的社会状况与思想的一种反映，也会构成集体记忆、文化记忆。必须借助具象或可见的文字、物品和图案来唤起文化记忆和建构个体记忆。参观博物馆、浏览照片、阅读历史书籍，都是用来唤起、更新甚至是“创造”个体记忆的方式。

关于空间与记忆的关系，德国社会学家、哲学家格奥尔格·齐美尔（Georg Simmel）认为，在记忆中，空间比时间更具有联系性和结合性，因为从本质上来讲，人们更容易触及空间。大学校史馆作为大学人认知、感知与反思大学文化记忆的集中展示空间，是诺拉笔下的“记忆之场”，也是阿莱达·阿斯曼所说的“回忆空间”。作为由大学行政机构开设的大学文化记忆展示场所，大学校史馆是大学文化记忆的机构性媒介平台。在大学校史馆中，文化记忆可以依附在文字、图片等媒介载体上，大学校史馆成为增加多传播维度可能性的空间媒介，同时，其也为这些散落的媒介提供了一个更加具有组织规划性的综合展示平台。借助展示设计进行整合，可以使文化记忆所包含的信息在多种媒介之间进行转化，从而更好地完成记忆信息的传播与交流。媒介具有空间属性，并与社会发展紧密相连，因此媒介在某种意义上具有社会关系的属性。此外，空间承载并传递着社会关系的信息，因此空间也具有媒介属性。从社会关系的角度来看，媒介可以建构空间，因此空间也是媒介的一种表现形式。

（2）大学校史馆是大学文化传播的媒介

大学校史馆不仅是大学文化记忆媒介的综合展示平台，同时也是大学文化传播的媒介之一。在大学校史馆的设计中，对媒介进行符号化的再设计、再创造，亦是一种将文化记忆的内涵与可被解读的认知形态相结合的办法。如中国传媒大学校史馆序厅中以白杨树作为大学育人精神的代表；北京大学校史馆中的京师大学堂牌匾代表了北大乱世起家却仍不失学术自由的精神；柏林犹太人博物馆的“线条符号”是一种带有伤痕形态的线性符号。

在社会传播过程中，信息的外在形式和载体是符号，意义则是信息的精神内涵，符号与意义共同构成了信息整体。笔者认为，在结构主义语言学奠基人索绪尔的符号学视角下，大学校史馆为能指，大学文化为所指。对符号及其相关要素做了最全面概括的是英国学者特伦斯·霍克斯（Terence Hawkes），他认为：任何事物，只要能独立存在，与另一事物存在联系，并且可被“解释”，那么它的功能就是符号。

笔者选择利用符号分析的方式，进一步构建大学校史馆展示设计策略与设计方法的模型框架。将大学校史馆作为符号进行分析，是因为笔者在分析大学文化记忆的媒介与传播维度时发现，在本书的研究中，媒介更多是作为文化记忆内涵或外延意义的物质载体，是传播过程中展示内容的物质载体，因此，媒介不能进一步对大学校史馆作为大学文化记忆载体的设计策略和方法有更加拓展性的指导。同时，结合展示设计发展的形式特色，在当代艺术设计中，符号化作为展示设计对展示内容形式的转译，是不能被忽视的思考路径，尤其是对具有纪念性、精神性的场所而言，如何让观众理解展示传达中的信息意义是关键，也是当代展示设计在空间内以有形传达无形之意的设计努力。针对大学校史馆的内涵、内容、展示需求，以及观众的认知关怀，将文化物质和精神层面的双重表达进行有机整合，也正是关注到了符号来源于其背后的一个相互关联的意义系统，而文化也正是由符号所代表的意义组成的。同时，对于笔者而言，在大学校史馆的展示设计中，重要的是如何通过展示设计实现大学校史馆对大学文化记忆的展示，从而让观众了解大学文化、形成反思，并能够促进观众与大学文化的共同成长与发展。这一整体的展示运动过程，即大学校史馆符号化的过程。

德国哲学家卡西尔认为，人是符号的动物，人可以利用符号创造文化，同时人类文化是由这些符号体系构成的。美国人类学家、民族学家莱斯利·怀特（Leslie A. White）也表明，一切人类行为都是在使用符号的过程中产生的。只有通过使用符号，人类文明才得以产生并永久保存。

因此，人类文化的认知与传播，也都依靠符号运动而建立，在信息传播者和信息接收者之间，针对符号的传递进行的信息交流构建了文化传播的过程。因此，大学校史馆作为一个完整的符号成为大学文化传播中的关键。同时，人类学家格尔茨认为，人格的形成来源于在社会中的文化符号传承过程，为人从天生是什么到最终成长为什么提供了连接。自然人正是在社会文化体系的影响下以及文化符号传播的过程中，才逐渐成长为一个符合社会文化规律的成熟的人。

虽然“每一项具有象征意义的事物都与现实经历中的某种经验性事物相联系”，但若想破解这种神秘的集体意识，无法仅仅通过归纳而解决，而是必须结合符号学方式进行阐释演绎。通过展示设计构建大学校史馆，使之成为大学文化记忆的空间实践场所，是大学文化记忆在大学校史馆中的符号化表意过程，同时也使大学文化得以传播、发展并被观众理解，最终形成大学文化认知，促进大学文化的发展。

3.2 大学校史馆展示设计策略与方法的研究路径

大学校史馆被赋予了关于展示大学文化的诸多意义。笔者通过分析其展示策略，将探究大学校史馆表达大学文化意义的动态过程。同时，在这一分析过程中，作为大学校史馆展示设计构成重要元素的观众与展示设计本身，也成为组建大学校史馆的关键要素。

3.2.1 大学校史馆展示设计中的符号过程分析

（1）大学校史馆的符号化

如何能够让展示设计在大学校史馆的建设中发挥作用，让大学文化记忆在展馆中发挥其内部所蕴含的大学文化力量，并通过展示设计促进大学校史馆更好地发挥它作为展示场所的功能，让大学人得到文化认同，让观众认识、理解大学文化，让大学文化能够在这个场所中不断获得新的文化力量，是展示设计在大学校史馆中的重任。同时，笔者也关注到这是一个围绕大学校史馆与展示（传递信息、意义）之间的动态发展过程。

大学校史馆的符号化可以借鉴意大利哲学家、符号学家安伯托·艾柯（Umberto Eco）提出的符号学理论：有这样一个空间可以展示大学文化，将其归类为一种展示空间，称之为大学校史馆。在艾柯的符号化思路中，第一步（有这样一个空间可以展示大学文化）已经是符号化的门槛。例如，在笔者意识到一个空间可以用来展示大学文化时，这个空间便成为实现笔者目的的载体，笔者就为这个空间赋予了意义，这个符号化远早于空间被命名为“校史馆”之前。社会中的人的解释是符号化的关键，其所处的社会环境、文化氛围、个人成长经历等都会对符号化过程有所影响。对这一过程的理解，既可以是社会文化的，也可以是来自个人的。因此，大学校史馆需要解决的核心问题是如何让观众对其产生理解，并将理解的范围维持在大学校史馆所展示的大学身上。符号化的分析思维与展示设计的结合，对大学校史馆展示空间设计策略与方法的普遍应用具有重要影响。

大学校史馆是表达大学文化意义的符号。诞生于语言学研究的索绪尔符号二元论，将符号分为能指和所指。依据这一理论，大学校史馆是能指，所指为大学文化。简言之，所指是概念，能指是形象。但是这种概念和形象又都源于人的理解，因此，索绪尔把语言符号看成是一种两面的心理实体。同时，“人”的隐去，也让这种联结指向了“理解”是在对话两者同属于一样的社会文化系统中才能完成表意过程，即如果交流的双方都是中国人，当其中一人说出“人”时，另外一人与说话者都会形成对“人”这一声音的共同理解。索绪尔的符号学建立在交流双方对于被交流的对象本身有共同理解的基础上，因此即使“对象”不出现，双方依旧可以交流（图3.6）。

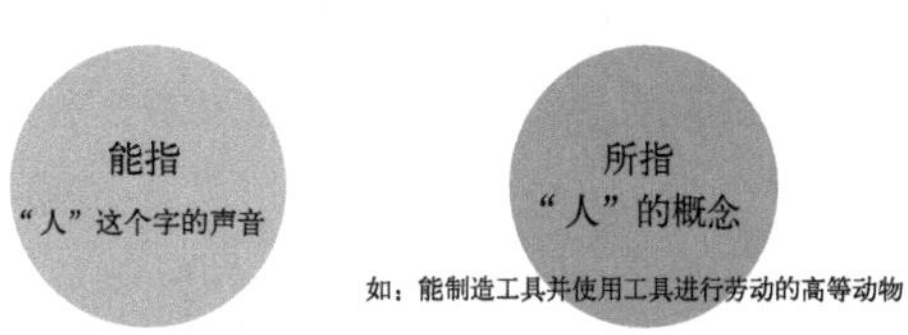

图3.6　索绪尔的二元模型

但是笔者认为，“对象”在交流中的缺失，也带来了“解释”的局限。如大学校史馆的主要观展人群是大学人，大学人中最重要的一部分观众应当是第一次来到大学的新师生，他们往往有参观大学校史馆的学习任务，因此对于他们来讲，清楚地展示对象十分重要。但是，只有当大学文化是多元的，才能孕育多元的大学文化记忆内容，从而打造出内容丰富、形式多样的大学校史馆。如果在大学校史馆的设计过程中，只针对大学校史或者说大学文化记忆呈现的内容表象来设计，那么大学校史馆可能仅仅是一个展现大学过去的场所，既不能使观众获得对大学更多的理解，也不能为大学校史馆这个场所赋予更多的文化意义。在大学校史馆符号化的过程中，有四个重要的组成要素，即大学校史馆、展示内容（大学文化记忆）、观众和展示设计。

显然，在这种情况下，索绪尔的二元结构并不适合笔者关于大学校史馆的符号化分析。而另一位与索绪尔处于同一时代，且在学术研究上可以与其比肩的符号学家查尔斯·皮尔斯的符号分析，为笔者接下来建构大学校史馆的符号化和展示设计提供了至关重要的指导意义。

（2）皮尔斯与符号三分论

皮尔斯的符号三分论，区别于索绪尔的符号二元论。在皮尔斯的符号建构中，比索绪尔多出了“对象”一元，强调符号分析的过程中符号表意的对象在场，同时对解释项的理解也更加深远，从而加深了人们对符号本身的理解。皮尔斯认为，任何符号都由再现体（representamen）、对象（object）与解释项（interpretant）这三项构成。其中，再现体是符号的载体，对象是符号所代表的东西。表达意义是符号的主要功能，因此，解释项在皮尔斯的符号思想观念中极为重要，它代表了符号在解释者心中的意义。并且，皮尔斯认为“一个符号只有能被解释成符号才能成为符号”，而“不存在任何例外”。

皮尔斯认为，任何符号的表意过程都离不开符号、对象与解释项这三个成分，他把符号的表意过程命名为“符号过程”（semiosis）。因此，符号的表意特性也只有在符号过程中才得以被理解（图 3.7）。

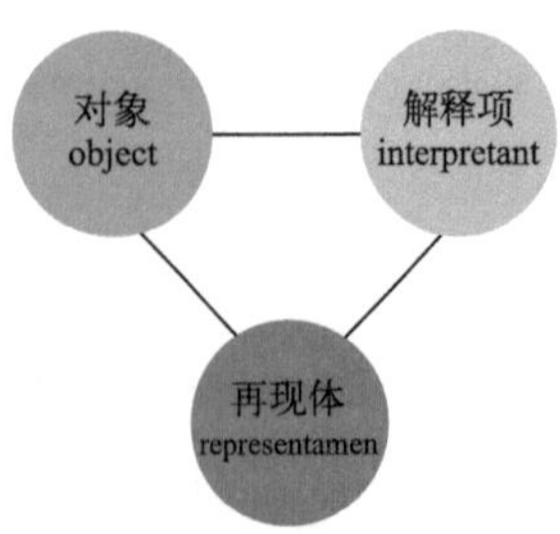

图3.7　皮尔斯符号三分模型

在皮尔斯的符号分析中我们可以发现，大学校史馆作为再现体，在展现对象——大学文化记忆时，其背后核心是使“大学文化”这一终极核心能得到清晰的表达。但需要注意的是，皮尔斯在后期将“再现体”进一步理解为“符号”，再现体更偏向于形式术语，而符号才能真正代表皮尔斯复杂的符号观念。因此在本书中，为了明晰研究对象之间的分析关系，“符号（再现体）”指代的是大学校史馆，其由大学文化记忆（对象）、展示设计与观众（解释项）构成。

借助皮尔斯动态的符号学观念以及对于解释项的关注，笔者对大学校史馆展示建构有了动态化的理解与思考。对于符号意义的解读，它的开始和结束都取决于解释项对符号信息的传达与接收理解。可以说，皮尔斯的符号三分论与传播、展示在对解释项（即展示设计体系）中观众的关怀下深刻地联系在了一起，而这也体现了皮尔斯符号学关于探索符号传播规律的本质。

基于上述描述，当代中国关于皮尔斯符号三分论的研究学者赵星植在其著作中这样说道：根据对皮尔斯符号分析的推演，符号的意义并不存在于符号结构之中，而存在于解释者与发送者之间的传播过程中。传播主体的能动性对符号意义的解释起着决定性作用。延森也曾表示，在皮尔斯符号三分论的解释项中，传达了符号动态表意的过程与体系，同时也代表了人与人之间交流和认知信息的关键。

在这样的思考下，皮尔斯符号三分论更多探讨的是符号之间的关系，是对符号意义传播过程的研究分析，而非对符号结构之间抽象的理解与研究。符号本身不能构成任何意义，只有和其他两个元素联动，才能在被使用的过程中实现表意的功能。

对于皮尔斯符号三分论中三个要素之间关系的理解，笔者在这里先用梵高的《向日葵》进行简单的举例说明。在《向日葵》这幅画作中，画作是符号（再现体），梵高眼中的或者脑海中的向日葵即为对象，观众对于《向日葵》这幅画作的理解，就是解释项。同时，梵高本人作为创作《向日葵》画作的人，亦是向观众发送信息的解释项。

基于以上分析，笔者构建了以大学校史馆为再现体、大学文化记忆为对象、展示设计与观众为解释项的三分论模型。大学校史馆关于大学文化记忆的展示设计在皮尔斯的符号三分模式的分析下，凸显了笔者对大学校史馆深刻意义的分析，并体现了笔者对大学校史馆观众圈层特性的分析。同时，在笔者构建模型时，充分体现了展示设计在大学校史馆、观众以及大学文化记忆中除了大学校史馆展示空间表征的空间设计外的关键分析作用，为落实大学校史馆的展示设计策略和设计形式的符号化

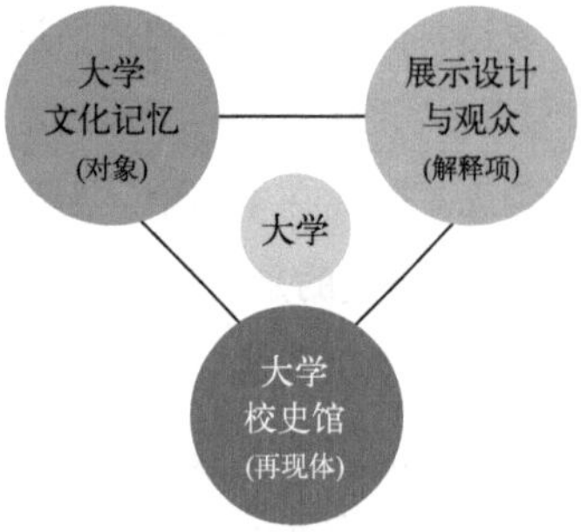

图3.8　大学校史馆的符号三分论模型

铺垫了研究路径（图 3.8）。

笔者通过引入皮尔斯符号三分论模型，为当代展示设计中“以人为本”的设计关怀提供了可复制的符号传播分析模式。更加重要的是，皮尔斯将展示对象再度拉回“分析场”内，将“以人为本”的设计想法和展示对象希望传达出何种意义得以被观众理解的设计平衡进行了有效的模型规划。同时，皮尔斯对解释项的深刻阐释，对于整体发展“参与式”展示设计的方向有着重要的指导意义。笔者认为，解释项也深刻影响着信息与意义交流后符号展示对象本体的文化发展。在3.2.2 小节中，笔者将结合本书对皮尔斯符号三分论活动过程中三个主要构件之间的关系进行详细分析，深度拆解在皮尔斯符号三分论的引导下，大学校史馆如何为大学文化的传承、传播以及文化促生提供场所赋能。

3.2.2　大学校史馆展示设计中的符号过程构件分析

符号（再现体）、对象以及解释项，构成了不可拆分的三元形式，并且，在这三元形式中，具有一定的限定关系。对象内容限定了符号（再现体）的表达，皮尔斯称之为对象的放射过程；解释项通过符号（再现体）来解读，因此对象又限定了解释项（图 3.9）。

如果用大学校史馆进一步表达这样的过程，即大学文化记忆通过展示设计限定了大学校史馆，大学校史馆呈现了关于大学文化记忆的内容，从而连接了大学校史馆与观众，并且开启了观众对大学文化记忆以及大学的解释与理解（图 3.10）。

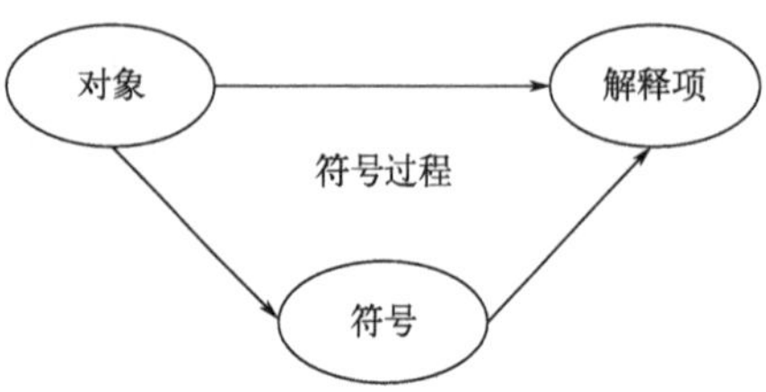

图3.9　符号核心构件之间的相互关系

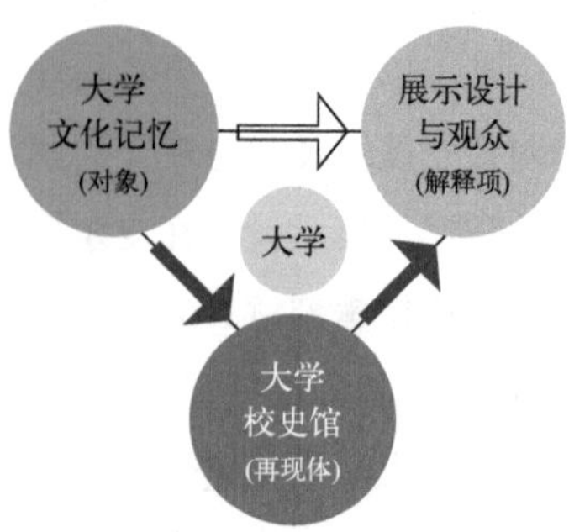

图3.10　大学校史馆核心构件之间的相互关系

皮尔斯的符号三分论中，不仅借助解释项这一概念激活了符号的动态表意过程，同样也采用这一概念建构了独有的三元传播模式论。其中从解释项对大学校史馆的符号化分析来讲，设计师与观众的心灵分别是符号（再现体）信息的发送者与接收者，共同理解一方面是他们得以交流的基础，另一方面是他们交流后对大学校史馆与大学文化的理解的融合。同时在两者理解的过程中，符号（再现体）意义的理解范围和内容都得到了扩大（图 3.11）。

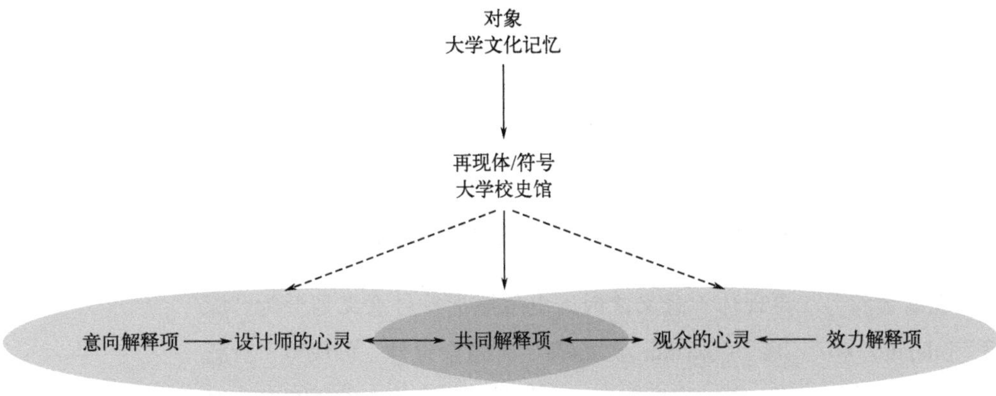

图3.11　大学校史馆符号过程中解释项关系

皮尔斯将符号学划分为三个分支，即符号语法学、批判逻辑学、普遍修辞学。符号语法学研究符号何以为真，讨论符号如何呈现自身，研究符号作为符号的形式条件。可以说，其是对大学校史馆作为再现体这个符号自身显现方式的讨论。批判逻辑学探讨的是符号（再现体）与对象的基本关系，即符号被视为真实所需要的必要条件，符号（再现体）如何与真相保持一致，以及意义的表达与解释等问题。普遍修辞学研究符号与解释项之间的关系，是对符号（再现体）得以传播、发展、理解并最终形成真相的研究。下面笔者将从大学校史馆这一再现体出发，探讨其作为再现体与对象（大学文化记忆）和解释项（观众、展示设计）之间的关系。

（1）符号（再现体）与对象：大学校史馆与大学文化记忆

符号（再现体）一定是与它再现的对象相互联系的。如历史的演变影响历史的写作内容，这是一种实在的因果关系。在皮尔斯符号三分论中，对象与符号（再现体）之间显示出的是各种“本有的”连接。

在本书的研究中，大学文化记忆决定了大学校史馆，大学校史馆作为一个符号，是大学文化记忆的再现体。A 大学校史馆之所以是 A 大学文化记忆的符号，是因为 A 大学通过大学文化记忆在展示设计师心中留下了某种关于 A 大学的印象，展示设计师由此按照心中的印象打造了 A 大学的大学校史馆，因此，展示设计师对于 A 大学的印象（来源于 A 大学的文化记忆）才是大学校史馆展示设计产生意义的真正原因。因此可以看出，对于大学文化记忆的深挖，不仅是因为它由大学校史馆展示内容的实质组成，同时也是因为它代表了大学文化给人的印象。观众通过大学校史馆进一步了解大学，同时也被大学校史馆对于大学的表达所影响。但是通过对观众所在的解释项进行进一步分析，我们可以看出观众与展示设计如何影响大学这一“终极解释项”。

（2）符号（再现体）与解释项：大学校史馆与观众/展示设计

在解读符号（再现体）意义之时，皮尔斯把符号意义划分为“深度”（depth）与“广度”（breadth）。“深度”即这个符号（再现体）所意指的各种品质的总体，而“广度”即一个符号（再现体）的所有实在对象的总体。在上述内容的基础上，皮尔斯指出，符号的意义结构还有第三个维度，那就是符号的“信息”。皮尔斯认为，信息的量与解释项产生的观念的发展密切地联系在一起，解释项的量同样对符号意义起到了发展性的重要作用。

对于大学校史馆来讲，其作为符号（再现体）的深度体现在它是大学各种品质的总体，而广度体现在它是所有文化记忆的总体。但是通过皮尔斯对于符号活动的理解，其“信息”即解释项的量的提出，对于大学校史馆的符号活动来说，是源于大学校史馆的展示设计师作为发送者的意图意义和观众作为接收者的解释意义，双方借助大学校史馆这个空间，对大学产生了新的理解信息量。

从接收者的角度来讲，对被传播的符号之意义的解释，不能脱离第三维度，即“信息”的作用。一个符号所承载的信息量不仅取决于传播双方的互动，大学校史馆所承载的关于大学的信息量不仅局限于展示设计的表达和观众前来观看的行为，还取决于观众本身对于大学校史馆的理解。不同的人因为知识储备的不同或认知方式的不同，在参观同一所大学校史馆时，所获得的信息量必然会有所不同。然而这种信息量的差别，导致了解释方向性的来回转换，比如说此刻一个大学新生和一个已经毕业几十年的校友一同参观同一所大学校史馆，就会造成信息差，也正是这种信息差造成了人们对该大学的认识或再创造、再增益，从而实现信息量的增加。

同时笔者关注到在对大学校史馆的解读中解释社群的重要性，即符号意义的传播与特定的文化社群有密不可分的关系，而依靠具体的传播语境可以减少信息传播的误读。确定解释项双方的“共同基础”，这种基础来源于他们共同熟悉的知识领域，这令皮尔斯的符号学传播思想充满了现实意义，强调传播环境、人际交流与文化特性，而非封闭的符号运动。

基于以上所述，笔者认为在大学校史馆这一符号（再现体）再现大学文化记忆的时候，展示设计在帮助观众更好地理解校史馆的展示内容方面发挥了重要的作用。利用展示设计对“共同理解”的挖掘，一方面是使社会层面的观众能够理解大学校史馆所表达的符号意义，另一方面是针对大学校史馆这种趋向于内化型的展览，如何能够利用这种“共同理解”和“言述宇宙”打造一个只有具有自身文化的社群才能理解的校史馆设计。基于笔者对大学校史馆展示设计的调研，正是因为当下的大学校史馆都在寻找社会层面的“共同理解”，为了让更多的观众接受而打造出一个大众化的“大学校史馆”，反而让大学校史馆的设计逻辑变得单一。因此，利用皮尔斯的“共同理解”和“言述宇宙”来让大学校史馆变得更加具有大学的文化特色，也是在大学校史馆符号化分析过程中，对于展示设计的理念指导。

3.3 当代中国大学校史馆展示设计策略与方法模式建构

3.3.1 大学校史馆多元的展示设计策略研究

基于以上对大学校史馆符号化过程中各构件的分析，笔者将开展具体的大学校史馆展示设计策略分析。策略模型的构建，有助于更好地分析各构件之间的关系，为后续的具体展示设计方法提供不同阶段的设计切入视角，从而完善大学校史馆对于大学文化表意的符号过程。

（1）“元”何而来——元语言

多元的策展维度，源于符号（再现体）在符号化过程中，每个元素携带的“元语言”的特性。符号文本的载体，只是一些可感知的刺激，一种“可变成物”。控制符号意义植入规则的是符码。符号的集合往往被比作语言，符码的集合一般被称为元语言。因此可以理解为，符码是个别的，元语言是集合的。

如同一本新华字典，词的解释是符码、解释的集合，如词典和语法，就可以称为元语言。但是这两者有时候难以分清界限，因此学界将元语言的研究视为关于解释规律的研讨，即元语言问题。符码必须形成体系才能起作用，元语言作为符码的集合，当符号学讨论解释的规则时，往往用元语言这个术语。

多元的策展维度正是在符号化过程中，通过运用符码规律对每一个符号构件的解释规则来展开具体的设计。针对围绕大学校史馆开展的设计活动，赵毅衡在其著作中利用“电影”进行了十分详尽的解释。他表明，在充满了各种符号的电影场景中，需要多种元语言知识储存。观众自身的文化背景、经验理解等组成了临时的“元语言集合”，对电影进行了解释。因此，尽管电影的主体不变，但是观众越多，解读的视角和对电影的理解也就越多，其中甚至包含一定的时空变化。皮尔斯将这种解释现象称为“无限衍义”。然而，前文提到了“共同基础”为理解符号（再现体）带来的限制。这一点可以以徐冰的《天书》艺术作品为例（图3.12）。在该作品中，徐冰基于“汉字”这个元语言系统，打造了“似是而非”的天书文字，令观众（尤其是中国观众）在观看时，对于这种文字有着“亲切的陌生感”，观赏时间越长，观众思考得越多，就会调动自身的元语言库对作品进行解读，从而产生理解。

汉字的元语言系统成为徐冰与中国观众的“共同理解”，同时观众的加入，又为《天书》添加了除徐冰本人创作的含义外的新的理解，赋予

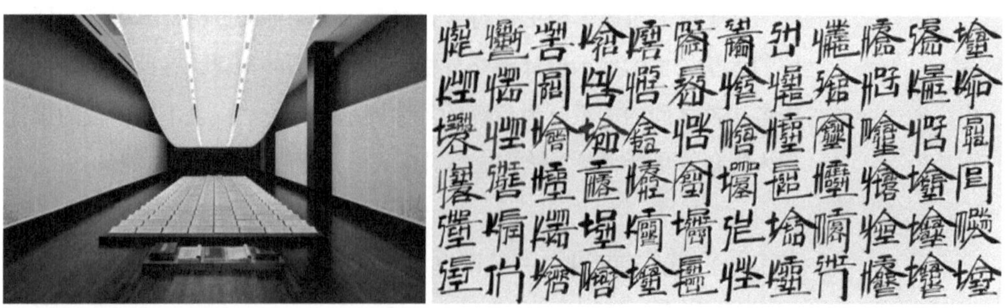

图3.12　徐冰的《天书》

了《天书》这件艺术作品更多的信息内容。此外，徐冰与观众拥有大致相同的认知模式的元语言系统——身体。因此可以看出，对于创作者徐冰来说，汉字元语言与身体认知元语言的集合无疑具有基石般的重要性。

赵毅衡指出，虽然在信息发出与传达的过程中，解释意义必须不在场，以保证信息传播流向解释，但是只要有相应的元语言，就不可能有无意义的符号文本。元语言的存在令信息可解，即使有时没有共同基础或文化社群的规约，其解可能是自由的，或者是一个“近解”。因此，元语言集合的任务是推出一个意义，而不是取得唯一正确的意义。但同时为了得到一个无限接近“正解”的“近解”，必然要对元语言的构成进行分析和限定，这样信息的反馈才不会“跑题”。

因此对于笔者而言，针对大学校史馆展开的符号化研究，就是在大学校史馆展示设计符号化的过程中，寻找构建大学校史馆的元语言集合（图 3.13）。如同徐冰的《天书》，其创作的元语言在中国人这个文化社群的共同理解下得到无数意义的解读，呈现出观众和文化语境的观照。徐冰在创作《天书》时，一方面基于自身对这个作品本身元语言的理解（如对呈现形式、材质等的掌控），另一方面还基于他作为设计者对自己想要表达的“天书”进行解释而调动的元语言分析。由此可见，每一次关于符号意义的解释，都有各种因素的释义元语言的集合支撑，在这场解释过程中，展示设计发挥了不可忽略的作用，正是基于设计过程，元语言的集合才得以组建。

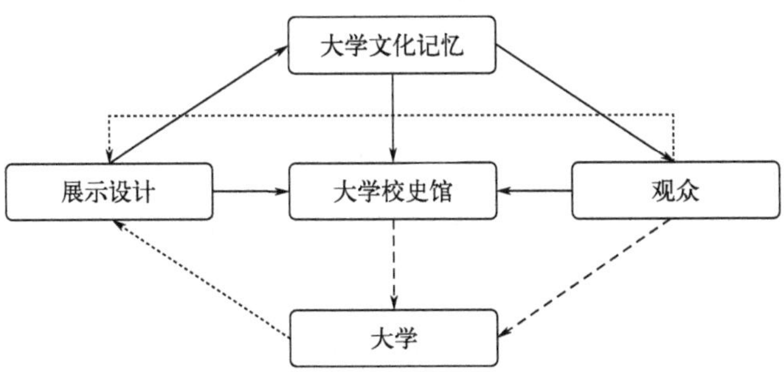

图3.13　大学校史馆展示过程中各元语言要素相互作用示意

（2）“元”何而组

符号（再现体）表意过程的各个环节都涉及解释文本所需要的元语言集合。元语言因素大致分为三类：社会文化的语境元语言、解释者的能力元语言、文本本身的自携元语言。笔者将大学校史馆展示设计过程中的元语言建立在这三者基础之上，并将解释者的能力元语言分为设计师能力元语言和观众能力元语言。

① 社会文化的语境元语言。社会文化的语境元语言作为元语言组成因素的核心，反映了展示内容与社会的多种连接关系，从而引发了文化群体对于展示内容的处理方式。从前面提到的在设计过程中的“共同理解”“言述宇宙”，以及在媒介中的集体无意识等来讲，根据大学校史馆的观众从核心的大学人到社会大众，大学校史馆展示设计过程中的语境元语言首先需要考虑到大学群体的集体无意识。同时前面也提到，大学校史馆的更迭、文化记忆的传承等，都是当下集体对过去的重构。因此，大学校史馆中的语境元语言，是指在特定大学文化群体的无意识或者惯习中，在共识性的前提下，形成于“环境 - 社会文化 - 群体特征”三者构成的某个特定的文化环境背景中与具体的校史馆相关的所有文化活动符号规约的临时集合。

② 解释者的能力元语言。笔者认为，大学校史馆的展示设计在发挥作用时，是将符号意义植入的符码规约的临时集合，而观众在解读大学校史馆时，是将符号意义重新整合的符码规约的临时集合。关于这两类“能力元语言”，首先需要强调和关注的是解释双方自身的专业背景、社会经历、文化基础等，这指向了对两者集体无意识在设计或者解读过程中能力元语言的映射。同时，一些与生俱来的私人情感或品质也会一同进入这两方对于符号意义的解释建构中。最后，由于能力元语言是接收者自己感觉到的能力，因此主观的感受会影响认知的结果。

对大学校史馆的展示设计师和大学校史馆的观众来讲，展示设计发挥着巨大的“黏合剂”作用。要实现这一作用，首先需具备解读大学文化意义的能力元语言。这意味着要充分认识到大学校史馆服务的核心人群（即大学人）是其展示设计的核心解读主体，他们在解读大学校史馆时，能够触发自身的集体无意识，进而形成对特定大学的高度文化识别与认同。其次，展示设计还需要为了让更多的社会观众在大学校史馆中更好地解读大学文化做出能力元语言的准备，这涉及更多关于展示设计的设计基础，如设计心理学、展示叙事以及展示传播等设计能力元语言，以确保观众能够更准确地解读展示内容信息。

③ 大学校史馆的自携元语言。大学校史馆虽然是展示大学文化记忆的场所，但其作为一个展示空间，其空间属性、时间属性等也都构筑、

解释了自身的元语言，这为进一步解读对象提供了更多元的视角。通俗来讲，大学校史馆利用空间和展示设计作为连接自身与大学文化记忆的桥梁，为观众解读大学校史馆展示内容提供了更多的“字典”，以供他们寻找合适的路径来理解大学文化记忆。大学校史馆的自携元语言，唤起了观众集体无意识中那些对相似校史馆的展览空间约定俗成的界定，以及在具体大学校史馆实践活动中类型的映射，即一所大学校史馆因与同类空间拥有相似的品质，因此能够被群体认定是“这个空间”的所有规约。

综上所述，大学校史馆内容的展示与解读，都是在这三大类能力元语言相互协调、相互限定的基础上进行的。这种协调与限定充分体现了展示设计能力元语言的变化和所达到的效果（图 3.14）。

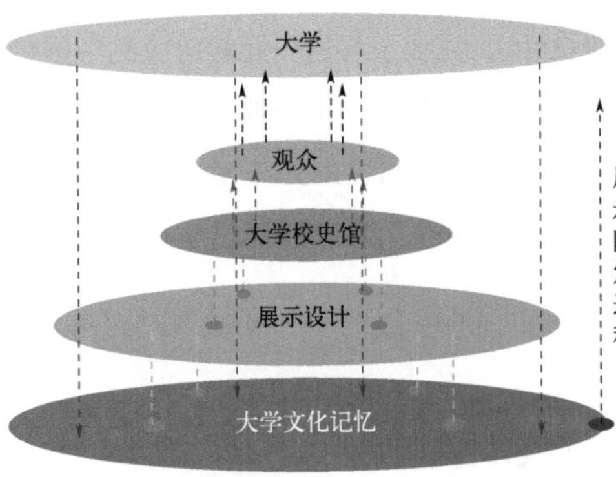

图3.14　大学校史馆多元展示设计策略模型

如在中国传媒大学校史馆入口的展示设计中，布置了白杨树空间造型装置，让每一个传媒人都能瞬间意识到这是中国传媒大学的校史馆，因为中国传媒大学与白杨树有一定的文化关系，白杨树作为一种标志性的元素符号频繁出现在中国传媒大学的校歌、大学文化宣传等中，用以表现大学育才精神（图 3.15）。该展示设计巧妙利用大学文化记忆，将其植入大学校史馆中，从而唤起了大学人心中的集体无意识，并使其更准确地解读大学校史馆所传达的大学文化精神。而对于社会人来讲，白杨树的造型在初期可能仅是一种特殊的或普通的空间装饰设计，或是蕴含着“立德树人”等普遍社会意义的功能设计，观众只有通过进一步获取信息，才能深入理解白杨树这一属于中国传媒大学的文化传统，通过对于大学文化记忆的认知，理解中国传媒大学中“白杨树”的育人精神，产生一种社会层面上对于大学文化的认知。

图3.15　中国传媒大学校史馆白杨树序厅

这样一个“白杨树”的文化记忆展示案例，充分展现了三大类能力元语言的相互协调。在这一空间中，通过对“白杨树”这一元素开展符号化的展示策略和符码编译（即设计），完成了与这一元素对应的中国传媒大学育人精神的立体展现。下一小节将进一步开展对大学校史馆展示设计方法的探索，即设计师通过设计能力元语言的方法储备，在大学校史馆的平台上，在大学文化记忆、大学以及观众之间搭建感知、理解与认同的桥梁。

3.3.2　大学校史馆立体的展示设计方法研究

（1）立体何来

当代中国大学校史馆的展示设计，应基于上述展示策略，对展示过程中不同的重要元素进行解读，并关注元语言的构成，发挥展示设计在展示内容、展示空间和观众之间的连接作用，以及传播信息、创造信息交流环境的作用。通过展示环境艺术设计塑造、展示信息内容的结构规划，在关注观众对展示内容解读的能动性的同时，利用设计形成一场有高度、有层次、艺术化的信息建构的塑展和观展过程。从大学校史馆展示空间的展示设计属性出发，围绕大学文化意义的表达，展开以大学文化记忆为对象的展示空间设计，使观众了解大学文化。通过展示设计对大学文化的信息进行传播，令观众得以对当下的大学文化有清晰的认知，并通过新的认识增加大学文化的信息量，从而使大学校史馆展示设计促进大学文化生态的生成。

我国符号学家王铭玉认为，符号的解释就是尽量将符号放入能使它变得完整的语境中。语境具有建构的属性，这种建构是通过个人倾向、集团利益、潜意识、人类精神、社会运转的规则来进行的。接受或拒绝一种解释涉及几个方面：鉴别、定位、描述对象；对于模式、认知规则和惯例的讨论；对于自我、意愿和目标的再现；对于语境、期待、标准和价值的认知。对于展示设计的过程而言，也正是需要关注以上这几个方面的内容。

利用展示设计，首先要在大学校史馆中完成的是对大学文化记忆的描述。其次，这种描述是根据校史馆观众的认知规则和惯例展开的，通过有效的展示设计再现大学校史馆的展示核心目标，即大学文化的教育、传播、认同和文化共生。同时，利用展示设计打造一个能支持这种展示目标的语境空间。展示设计贯穿于大学校史馆的整个建设过程，因此大学校史馆所再现的内容，首先源于设计师对大学的感知。这种感知建立在设计师关注观众认知模式的前提之上，并通过编码与认知模式相连接。同时，设计师会基于对观众的元语言、大学校史馆的元语言以及大学文化的理解，与观众分享编码成果。通过这种符号化的行为，符号得以表征真实世界，我们周围的一切都融入符号世界，而借助符号的演绎，我们能够实现知识的更新。

综上可知，当代中国大学校史馆的立体展示设计方法是基于多维度的分析展示过程中的关键元素。对展示对象（大学文化记忆）进行文化语境和展示内容的挖掘，对解释项（观众）进行认知模式和认知目标的解析，对符号即再现体（大学校史馆）进行展示设计，借助诸多媒介与设计手法，实现可以双向传播的信息交流（图 3.16）。

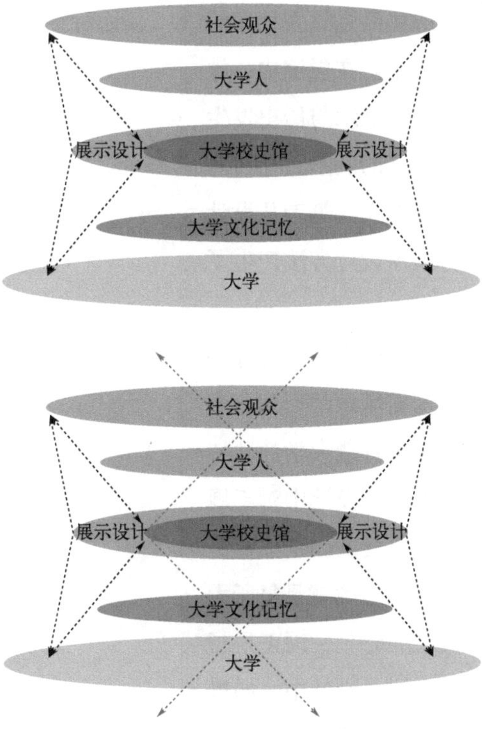

图3.16　大学校史馆展示设计过程中关键要素的连接

（2）立体何为

从展示内容出发，大学文化记忆作为大学校史馆的展示对象，既是展示设计作为解释项首先接触的信息，也是大学校史馆得以被表征的来源。阿斯曼夫妇对文化记忆及其发展的媒介依附有所研究，此外，阿莱达·阿斯曼针对历史到底以何种基本形式、媒介和方式被展示，做出了如下三种总结：叙述、展览、展演。

叙述的结构是生成联系和意义的一种基础形式，为进一步展现历史内容构建起了重要的概念框架。展览是对展示内容（或展示的各种媒介）在空间内的布局整合。博物馆里的物品是过去秩序的残存碎片，呈现在新的时空语境中，这也被称为物品的再度维度化或再度语境化。展演分为两层：第一层是媒体演示，包括数字媒体等媒介，通过崭新的公共平台对历史的再现进行演绎；第二层是空间展示，阿莱达·阿斯曼强调，这一点是指在历史发生地的重新展示，即在历史舞台上对历史回忆的演绎。

阿莱达·阿斯曼首先关注到了历史展示的结构逻辑，其次关注的是展览中文化记忆媒介的摆放，并且她认为博物馆中的物品是过去秩序的残存碎片，它们脱离了过去的秩序，进入了新的语境中。在展演中，她注意到了新的展示技术的介入，同时她也关注到了空间展示与历史发生地的深刻联系。阿莱达·阿斯曼文化视角下的文化记忆的展示路径，对笔者思考大学校史馆的展示设计方法具有一定的指导意义。笔者从设计实践和展示设计专业本身出发，对大学校史馆立体展示设计方法产生了如下思考。

①“展势”设计，是使大学文化记忆可以被感受的历史展示设计环节。笔者认为，大学校史馆的展示设计始于对大学历史场地的回溯，是大学场所语境的映射，通过氛围的设计在大学校史馆中打造大学的独特气质。大学校史馆展示设计的“展势”环节，强调了展示设计中对于展示空间场景氛围的营造，注重打造大学独特的精神文化气质。正如每个人都有自己的“气场”，在大学校史馆设计中，首先要塑造的就是每所大学专属的气场。“势”字有“姿势、气势”等含义，“展势”一词正是指将一所大学的气势进行呈现。同时亦有学者指出，在展示设计中，如奥运会开幕式中瞬间的震撼，以及对于某物、某景的一见钟情，都来源于对展示主题“势”的设计关怀。利用这种设计手段能在大学校史馆中营造可以被感知的大学文化记忆。

②“展示与叙述”设计，是使大学文化记忆可以被认知与传播的展示设计环节。在“展势”设计环节后，需要对大学文化记忆进行分析，

结合大学语境和需求确定大学文化记忆在校史馆中的叙述结构和展示模式。这正对应阿莱达·阿斯曼笔下的叙述环节，既是对大学文化记忆展示逻辑的勾勒，也是对“大学故事”的设计编排。

面对深厚的大学文化记忆沉淀，清晰明确的展示逻辑是使观众更好地认知大学文化的路径。同时，在叙述结构的推敲中，对大学文化展示核心目的的把握同样重要，这甚至决定了叙述结构的方式。因为大学校史馆中对大学文化记忆的展示，不仅仅是如同大学档案馆一般将收集的材料进行罗列，其讲述的内容有前后关系、主次之分，还有大学内外观照等多方面的视角，这都体现了一所大学砥砺前行、奋进发展的历程。大学校史馆作为大学中开展校史研究的空间，区别于大学档案馆对于大学记忆的存放，更加凸显了在大学文化层面，大学文化记忆之间跨越时空的彼此作用。大学校史馆通过有组织地呈现大学文化记忆，追溯了大学的历史，既是对大学过去的缅怀和纪念，更是对历史发展的总结和思考，以更好地立足于现在，拓展大学的未来。

大学校史馆的展示设计逻辑即“叙述模式”，其实就是从“关于大学文化的主题展览”到“关于大学叙事的展览”最后到“讲好大学故事”的进程。主题展览强调主题概念，叙事展览强调主题的时间轴和叙事逻辑范式。而讲好大学故事，则更加注重给予观展人一个连贯、生动、情节完整的主题事件发生过程的描述。展览讲故事，是指借用文学讲故事的办法，利用展览中的各媒介要素进行一个关于融合人的观展感官体验的综合展示设计，从展览中尽可能地塑造完整的“大学故事”。

美国叙事学家西蒙·查特曼将叙事分为两个层面：一是故事本体层面，更加注重实际事件的内容；二是话语层面，关注故事内容被讲述的方式，这也是大学校史馆展示的“叙事模式”。大学文化记忆的展示组织方式，以大学文化为大学校史馆的展示主体，呈现出系统化的叙事模式，即以历史发展为主的线性展示模式，并伴随尺度不一的横向专题展示。同时，在叙事模式中，还应该关注到不同内容的叙事视角，如观众参与角度等，尽管大的叙事视角依然要从大学自身出发，但是局部叙事视角的转换也能为展示空间带来设计活力。结合符号化的设计形式，对文化记忆依附的媒介形态进行如隐喻、转喻等设计，为文化记忆的解读带来艺术设计的展示张力。同时，还可以根据具体的内容展现形式的需要，利用这种符号设计转译的能力，如比喻、夸张、反复等不同的艺术效果，将文化内涵和内容进行有节奏、有秩序的设计呈现。

③“展演”设计，是使大学文化记忆能得到思考的历史展示设计环节。以情感化和互动化的设计方法，对具体的重点环节进行展示演绎，为观众创造更多可以深刻体会的记忆点，并使其在一所特定大学校史馆中对大学文化产生深入理解。而大学也在每一次大学校史馆的展示设计和观众对其文化的认同和理解的过程中，得到文化反哺的生长力量，形成围绕大学校史馆展示设计的大学文化建设过程，以及观众观看大学文化的过程，两方能够形成“内观”和“互观”的思考，成为个体思想与集体文化动态演绎的舞台。

这种文化演绎对于大学集体而言，是当下时代对于大学发展历史的总结和思考，旨在更好地面对当下和未来的大学发展，寻找历史中大学存续的生命根源与活力，从而实现一种大学自我内部的观照，这也正是大学文化记忆的特性之一。而对于以大学人为主的观众群体而言，在参观大学校史馆的过程中，通过对大学文化发展的认识，引发共情与反思，形成对大学文化的认知或认同，并促进自我进步等个体思想演绎。在这两者的内观中，大学文化记忆在当下时代的展示需要具备可感知性、传播性。同时，大学校史馆在不断被观看的过程中，应不断调整其展示方式，辩证思考展示内容，促进当代大学文化展示内容的不断更新。

因此，对大学校史馆立体的展示设计方法的研究而言，通过展势设计、展示叙述设计、展演设计这三个步骤的整体规划，见图3.17，以及各步骤在不同阶段的相互交织作用，进行大学校史馆展示设计方法的实施，即通过大学校史馆展示空间环境设计、展示空间内容叙事形式设计以及展示空间局部情感设计这三大部分，展示大学文化记忆，让大学本体以及观众在大学校史馆中能够更加清晰地进行个体定位与大学文化认知，实现对大学文化的集体认同，并生成相互促进、共同发展的大学文化生态展示空间。

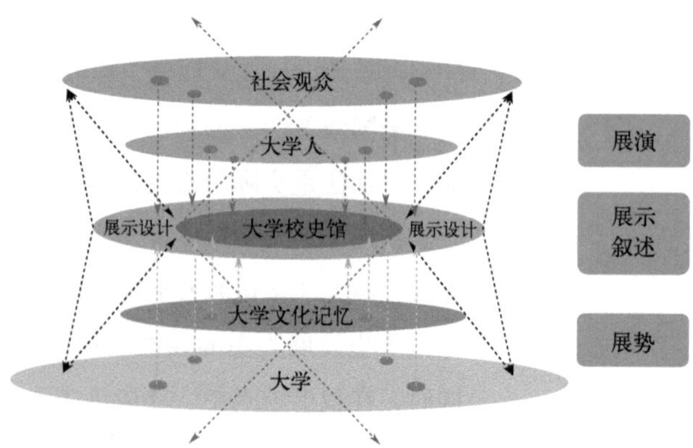

图3.17 大学校史馆立体展示设计方法模型

第4章

当代中国大学校史馆展示设计策略研究

4.1 大学校史馆展示设计的语境研究——创境

根据前文所述，在拥有“共同理解”“言述宇宙”“集体无意识”的情况下，即锁定了特定的社会群体后，就锁定了这个群体所有文化中的物质层面、社会层面以及精神层面之间形成的特定文化背景环境，“环境 - 社会文化 - 群体特征”形成了大学校史馆文化活动的符号规约集合。也可以说，在大学校史馆中对展示内容生产或解读语境的关注，是皮尔斯符号三分论中，符号（再现体）在展示对象的基础上对解读语境的确定。

4.1.1 大学校史馆的外部语境

对于大学校史馆中的展示设计而言，大学校史馆拥有的内外两层语境会对具体设计产生指导作用。基于“环境 - 社会文化 - 群体特征”，大学校史馆的外部语境首先与大学外部环境、大学所在的地理位置有密切关系。每一个地方所孕育的文化都是不同的，正如人类生活中的“方言”。即使是在同一个国家中，地方性对人类文化的影响依然十分显著。

美国地理学家皮尔斯·刘易斯（Peirce Fee Lewis）认为，人类所处的景观恰似我们的自传，它以可触摸、可看见的形式，展现出我们的品位、价值观、志向，乃至内心的恐惧。然而，我们却很少从这一视角去审视地景。所以，我们在地景中书写的文化记录，必然比大多数史书中的内容能更真实地展现我们的本来面貌，原因在于，我们很少会特别在意应如何在地景中描述自己。扬·阿斯曼也认为，记忆之场的存在，正是因为记忆的原生环境已不复存在。古老的记忆术媒介依赖脑海中的想象空间，而回忆文化是将符号加入自然空间中，或者说，自然场景可以成为文化记忆媒介的一种。这种“场景”并非如同“纪念碑”一样的单独符号，而是将其视为一个巨大的整体，并将其符号化。扬·阿斯曼在其著作中阐述，澳大利亚原住民会在一些重要节日前往埋葬了他们的祖先和起源的特定地点朝圣，通过这些活动，群体的身份认同得到了确认。

强调文化所属的地域文化是必不可少的，荷兰建筑师阿尔多·凡·艾克（Aldo van Eyck）致力于建立一种适合于20世纪后半叶的“场所形式”。他认为，地域风格的丧失，令当代建筑师对多样性的地域文化知之甚少，但如果建筑设计缺少了地域文化的介入，是无法满足社会多元化文化发展的需求的。

文化记忆的形成是围绕一个社会文化群体展开的。中国大学的发展大多与国家语境、地区语境密不可分，注重对地方文脉的传承，由此形成的大学文化特色亦是对大学起源地的地方文化基因的一种继承。在大学校史馆的展示设计中，通过前期调研，以及对大学校史馆与生态博物馆的理念对比发现，大学文化记忆，大学校史馆的功能、特点与内涵等，使大学校史馆展示设计比大多数展示空间的展示内容都具有更加明确的展示文化范围。在建筑设计中，设计师密切关注地域文化、地域环境、文脉因素等所有在建筑之外的大环境因素，同理，大学校史馆的展示设计也需要充分关注校史馆展馆以外的，会对大学产生深刻影响的社会、自然等方面的地域、文脉语境（图4.1）。

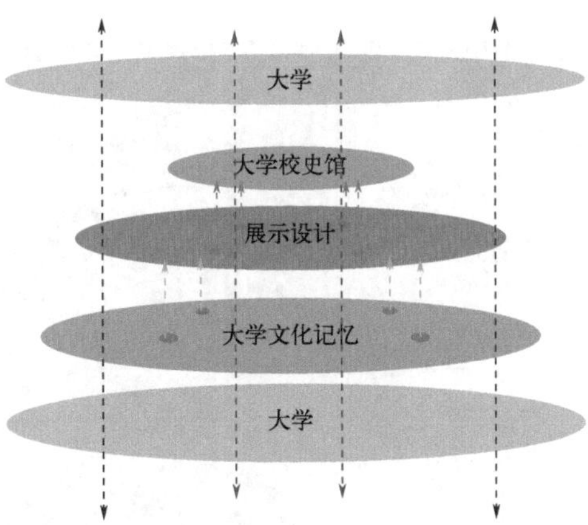

图4.1　大学校史馆展示设计策略分解－外部语境元语言影响

在调研中笔者发现，大多数大学校史馆的展示设计都缺失了对地域文脉的展示，或者说虽然关注到了大学的环境，但是缺少关于大学文化起源等方面内容的展示。历史总有源头，不同大学文化的孕育，不仅与特定的年代和社会有关，更源于大学诞生的地域环境。不同的地域孕育了不同的方言、文化，不同的地方孕育了不同的大学。

如何在这种多重性的、永不止息的文化进程中，找到大学自己的位置？笔者借用法国哲学家吉尔·德勒兹（Gilles Louis René Deleuze）和法国哲学家费利克斯·瓜塔里（Pierre-Félix Guattari）的观点："去寻找时间和方位的交叉点，去寻找社会结构中的坐标。"纬度是事件生成的开端，往往伴随着偶然性，而经度是事件的独特物质性，两者的交会创造了不同的交叉点。借用空间坐标系定位文化，为大学校史馆外部空间的设计起到了很好的参考作用。大学的开端源自社会文化进程的需要，同时，地域文化带来的一系列配置和需求又进一步影响了大学文化的发展。因此，在大学校史馆的展示设计中，若要充分地展示大学文化的独特性，就应该从大学诞生的时空开始追溯，展示大学发展的历史，映射孕育大学的地域空间。

这种地域的映射既可以体现人文城市，也可以延伸到自然环境。地景可以为建筑提供空间、形式、节奏、材料和色彩上的背景环境，也可以为建筑空间提供形态元素，或与空间本身形成文化的交融，实现地域文化与空间的直接对话和共生。例如，美国建筑家和设计师尤尼·费·琼斯（Euine Fay Jones）设计的位于美国阿肯色州尤里卡泉的荆棘冠教堂（Thorncrown Chapel）就延续了森林背景的线性节奏和致密的空间感受（图 4.2）。

图4.2　荆棘冠教堂

又如安徽中医药大学的新安医学文化馆，结合了"新安医学"在徽州文化沃土中成长的特点，将馆中的装饰元素与徽派建筑设计局部进行了关联，在展示空间风格中彰显了中医药的文化底蕴及学科发展特色（图 4.3）。

图4.3 安徽中医药大学新安医学文化馆

4.1.2 大学校史馆的内部语境

对于美国建筑师查尔斯·摩尔（Charles Moore）和美国雕塑家肯特·布卢默（Kent Bloomer）而言，每一个真实的场所都会或多或少地被人记住，部分是因为它是独特的，部分是因为它对我们的身体产生了影响并生成了足够的关联，以至于我们能够把它保留在我们的个人世界中。对于大学校史馆的内部语境而言，要关注承载和生产大学文化、大学文化记忆的大学本身的语境，以及大学校史馆内部一系列的空间功能、物理特性等属性，这些都影响着空间中展示设计的形式表达（图4.4）。意大利著名建筑师阿尔多·罗西（Aldo Rossi）认为，城市类型是“生活在城市中人们的集体记忆”。这种记忆由人们对城市空间与实体的记忆构成，同时也会反过来影响人们对未来城市形象的塑造。他指出，人们在塑造空间时，心智意象会对空间产生作用，不过，他也认同并接受物质条件带来的限制。罗西希望通过对“集体记忆”中原型的再设计，创造一种“共同的现实”，从而传达一种深层意义。

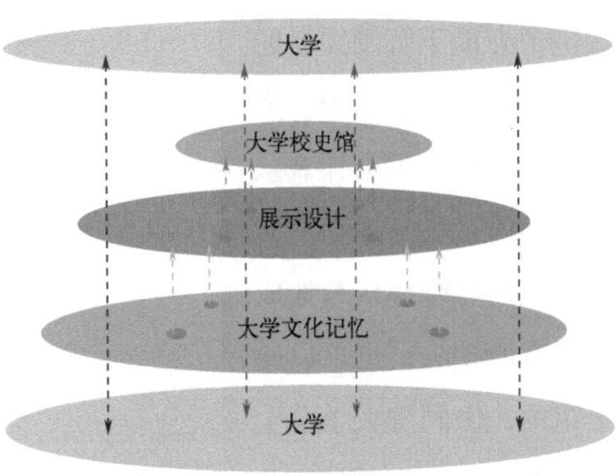

图4.4 大学校史馆展示设计策略分解－内部语境元语言影响

内部语境构筑了真实的大学文化记忆，

为大学从过去到现在任何时空之间的串联打造了大学专属的坐标系。记忆最基本的功能之一是储存，但是记忆面对的世界是未经整理的、各种意识混杂的，记忆的类型混杂，因此，阿斯曼夫妇将它们分解为“存储记忆”和“功能记忆”。他们认为，“在集体层面，存储记忆呈现了资料类的、中性的记忆，包含了错过的以及可供选择的全部内容”。对于大学来讲，存储记忆是存在大学档案馆中的大学记忆，另一部分则是功能记忆，有待被人们支配和利用，从本质上要对其进行符号化处理，在某种特定的现实场景中有目的地选择和支配这些记忆，使其成为构建与主体相关联的有意义的内容。这部分记忆被引入大学校史馆中，并且每一代人从档案中提取出来的“功能记忆”，都会根据当下时代的需求而有所不同，这一部分就是大学校史馆中的大学文化记忆。

这一符号化的过程包含两个层面：其一，记忆从存储到重建，是思维化的；其二，记忆从心理实在到经验活动，是逐渐被演示的环节，它只有借助“被表现”才能得到一种确定的形态，从而才能为我们所认识。利用文化记忆打造大学校史馆空间，其实并不应该是单纯为了展现大学校史馆的过去，而是应该将它们作为特殊的符号，为观众营造一种特殊的回忆氛围，使它们激活或者激发观众对于过去的认知或者过去的回忆，让观众从展示中得到情感刺激。这种空间语境的诉求，对于我们在设计大学校史馆时打破传统单薄的展示表达有着深刻的引导作用。文化记忆的符号作用，就是在叙述层之外，帮助展示设计处理具有距离感的历史情景。在大学校史馆的参观回忆中，观众首先应该感受到的是过去文化记忆产生的大学语境，是一种不同时空下大学中大学人交往语境的传达。

大学校史馆内部空间语境的营造，为观众提供了有助于解读大学的字典框架或解读轮廓，用以将观众带入对每一个展示内容的解读中。大学校史馆内部的空间语境都是紧紧围绕这个大学所展开的，不会让观众在体验记忆时忘却空间本身的含义是传达某一所大学的过去与大学的文化。在语境的设计中，重要的不是内容，而是如何让内容顺理成章地成为大学的一部分，这样一来，即使记忆本身的留存有所缺失，也可以通过语境空间对内容进行弥补。如在同济大学校史馆中，由同济大学学生自己设计的“悬桨模型”，其造型语言、材质选择等与同济大学的校徽及校训“同舟共济”相得益彰（图 4.5）。

图4.5　同济大学校史馆“悬桨模型”及同济大学校徽

物理空间形式的僵化可能带来人行为的僵化。现代文化教育只有保持多元化的模式，才能够在当代丰富的文化交流形式中实现有效的教育作用，大学校史馆的展示空间也应有助于实现这种多变的教育模式。因此，从大学文化语境出发进行大学校史馆展示空间设计，是丰富大学校史馆空间层次的方法之一。解读一所大学专属的文化记忆，首先要让观众在展示空间环境中明确文化记忆属于谁。因此，大学校史馆展示空间设计的第一步，是描绘一所大学的景色，即大学文化环境从过去到现在的映射，笔者将其总结为“绘景”阶段。

4.2　大学校史馆展示认知的意义研究——创识

大学校史馆展示认知的研究，是两种解释者能力元语言的延展，主要是展示设计对观众认知意义的研究。首先，基于每个人的认知基础，也就是生理维度上的认知，我们可以从设计心理学等相关认知学科的基础研究中得到线索与答案。同时，在参与式设计盛行的今天，也应探讨观众在信息传播中的认知。再就是要考虑到大学校史馆以大学人为核心观众群体展示大学文化记忆、表达大学文化，在展示设计和观展过程中，大学与个体层面因文化的互相生长、定位认同而产生反思式的观展过程（图 4.6）。

4.2.1　展示形式认知路径

美国著名哲学家、符号论美学家苏珊·朗格（Susanne K.Langer）在

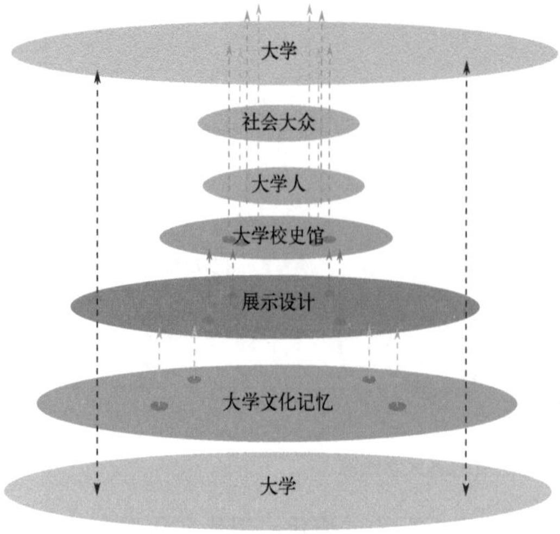

图4.6　大学校史馆展示设计策略分解－解释者元语言影响

《哲学新解》一书中曾提出，人类心灵的底层活动过程是：它（人类心灵）抽象经验、表征经验，用激发观念的符号来抽象和表征经验。它（人类心灵）唤起头脑中的观念，把经验转化为表征性符号（symbol）。一般性符号是功利的，以生存为导向，触发行为，其信号般的功能在一切生物中普遍存在。但是人类能够用表征性符号对一般性符号做出回应。

在朗格的观念中，对于人类而言，一般性符号既可以发挥信号的功能，也可以发挥表征性符号的功能，而表征性符号的意义在于它能够唤起人的观念。在大学校史馆的展示设计中，正是需要设计师将以大学社群文化为理解基础的"经验"符号化，用以激发人对于符号的认知，从而加深其对内容的理解，而不是将内容呈现为"信号"使人读懂即可。这种对于观念唤起的重视，来源于大学校史馆原有的理念。大学校史馆作为大学文化的展示空间，承担着大学文化教育的功能，但建设大学校史馆的目的并不是让观众到这里来学习大学校史，把参观大学校史馆变成校史理论学习课，而是希望通过大学校史馆的展示设计，让观众能够充分认识和体会大学历史、精神、学术特色等一系列大学文化内涵，从而实现文化认同、文化思考，以及以史为鉴、知古兴今的效果。

美国认知心理学家、工业设计师唐纳德·诺曼在其著作《设计心理学》中总结了认知的三个处理层次：本能、行为和反思。

最基本的处理层次被称为本能。对设计师来说，本能反应是直接的感知，听觉、视觉、触觉或嗅觉，这些都是典型模式，事物的外在表现可以触发本能反应。行为层次是学习能力之本，在合适的时机被触发，依赖于潜意识。尽管我们都能够意识到自己在行动，但对细节却缺乏了解。对设计师来说，行为层次让每一个行动都能与一个期望相关联，这是最为重要的，期望在我们的情感生活中扮演着重要的角色。反思层次是有意识的认知之本，是发展人们深层次思考和理解的层面，是推理和意识决策的层次。

本能的反应位于最底层，控制身体感知外在的世界。行为层次与期望有关，所以其对行动次序的意图敏感，然后才是对信息反馈的阐释，即反思层次。反思层次是设定目标和计划行动的一部分，受到实际结果与期望比较的影响。反思层次与其他层次的另一个区别是时间。本能和行为的层次在当前时刻起作用，描述了人们看到设计物或与设计物互动时产生的感受。随着时间的推移，反思层次使人追忆过去并展望未来，自我形象和身份也是在这个层次中形成的（图 4.7）。

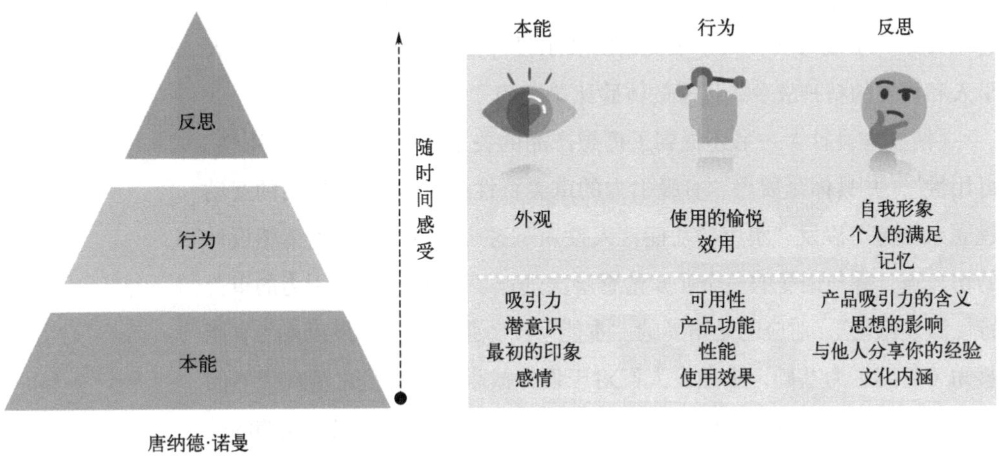

图4.7　认知的三个层次

认知是情景化的，环境是认知系统的一部分，亦是它的支架。大学校史馆的展示设计旨在营造一个有意义的环境，让散落在时空中的大学文化记忆回归场景本身，同时也让观众回归其身体本能的体验，注重意象、情感、体验与实践的相互作用。在环境心理学理论中，人对环境的认识包括感觉、知觉与认知三个层次：感觉是人通过生理感官接收外界环境的刺激而产生的初步环境感知；不同类型的感觉是知觉产生的前提，依赖于人们在过往的生活经验中所产生的心理活动；认知是获得知识的一系列过程，如感知、表象、记忆与思维等，并且思维是认知的核心。

这也在环境、空间和具体设计中与诺曼在《设计心理学》中对认知的总结相呼应。

在大学校史馆中，对于观众反思层次的情感体验有着较为明确的核心需求，即来参观的大学人可以从中找到"自我"，完成对大学文化的认知，从而实现个人定位、集体文化的认同，以及促进社会各界观众对大学文化的认知和识别。这并非一场真正意义上的学习之旅，更多强调的是在学习和了解后，对于大学文化的情感反馈。因此，也可以说大学校史馆的展示设计是为情感而设计的。

加拿大首屈一指的用户体验公司nForm的创始人和董事长特雷弗·高普（Trevor van Gorp）以及专注利用设计唤起情感的设计师伊迪·亚当斯（Edie Adams），在他们的著作《情感与设计》中提出，要想为客户创造更大的价值，就要在产品设计过程中将用户的情感反应考虑进去。他们认为：情感即体验。情感主导决策、控制注意力、影响记忆力。所有的设计都包含一定的情感设计。同时，情感传达设计个性，并与用户之间建立关系，生成意义。大学校史馆的展示设计便是如此，它作为一个大学人和校友的精神故乡，情感的体验比单纯的"说教"更加有效。

《情感与设计》一书还提到了理想产品的关系有"满意度、易用性、可用性"，并具体延展出"有吸引力的审美特性激发激情""易用的互动建立亲密感"以及"实用的功能让人投入"这三个方法，作为情感设计的切入点，并与诺曼的三个认知情感层次进行了对比。"有吸引力的审美特性激发激情"，对应的是诺曼的"本能"层，强调设计成果以人的本能感知（五感）为基础，来激发人们对于设计成果产生喜爱之情或强烈的情感反应。"易用的互动建立亲密感"对应诺曼的"行为"层，强调的是设计成果若更加易于理解、使用，能够给体验者带来实用利益，那么成果就会在体验中与体验者建立关联感和亲密感，审美与互动也会相结合，从而传达个性。"实用的功能让人投入"对应诺曼的"反思"层，源自用户与产品之间的长期关系会影响其自我形象。当设计长期满足用户的需求时，能产生可靠的利用性，同时它产生的情感利益也会带来持续使用的承诺。当它能够传达出明确的、始终如一的个性时，就能获得体验者的信任，体验者愿意持续地维持这种体验，从而获得实际情感上的满足。

特雷弗关于情感设计的探索，极大地推进了笔者对大学校史馆情感设计的思考。结合笔者在大学校史馆展示设计方面的实践经验，对于大学校史馆展示空间的理解，最初都是依靠人的感知属性。具体的设计编码行为并不会在这个层面被观众感知，观众只需要感受到自己来到了一个大学的校史馆，或者说，展示空间利用设计，向观众传递了关于“这个大学”的感觉。这体现在对大学校史馆整体空间氛围的打造上，是大学校史馆中大学语境显现的必要手段。理解或反思是无法通过知觉达到的，需要通过观众在空间中进行反复“互动”，当观众开始对空间中传达的具体信息进行“穿针引线”般的认知时，这种“互动”就越易于掌握，就越能够让观众对展示内容建立亲密的感受，并加速达到理解与反思的层次。

在大学校史馆现有的展示设计中，缺乏对第一维度（即以人的身体为媒介）和第三维度（即以数字技术等为媒介）的传播。因此，大学校史馆的展示空间为了实现“行为好感”，除了平面化的展示信息外，将实用的互动性设计引入展示中变得极为关键。在持续的感知氛围和行为互动中，展示空间为观众达到反思的层次提供了量的积累，观众会在一定的时刻对这些积累进行反思，如前面所述，反思是具有时间性因素的（图4.8）。观众对大学校史馆展示空间的反思，其实是对大学本身的一种反思。但这并不意味着一定是批判或是负面的信息。笔者认为，对核心观众大学人或社会广大观众来讲，大学校史馆更需要达到的反思是一种从共情到移情的情感体验。大学校史馆集结了大学过去值得缅怀或纪念的人、事、物，是对大学发展的历史进行总结，同时展现大学文化精神。只有更好地总结和认识过去，才会有更加清晰明了的未来。对于参观大学校史馆的大学人来讲，最重要的就是通过识别大学文化、认同大学文化，达到一种文化共生，从大学校史馆中找到自己的影子和对未来的希望。对于大众观众来讲，通过这种共情，能够更好地认识一所大学，产生向往或认同等正面评价。

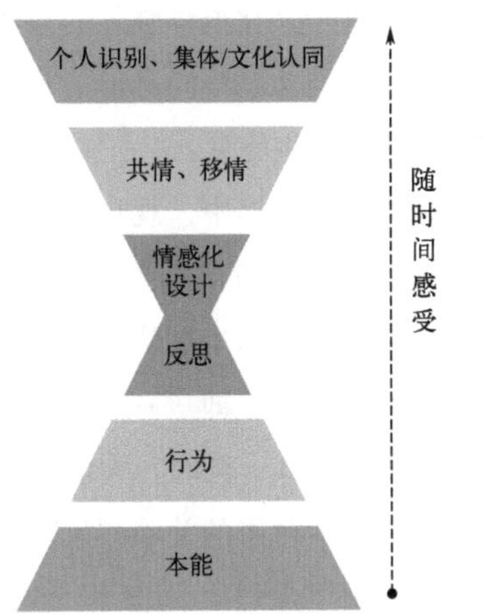

图4.8　认知的三个层次与情感设计分析

4.2.2　展示空间认知意义

“共情”这一概念源自欧洲，主要是用来指导心理咨询师与患者之间的有效情感沟通。在心理学领域，共情的过程分为三个步骤：情绪识别、情境理解、情绪追忆。在社会学领域，共情被用来解释亲社会行为产生的原因。共情作为一种动机，是亲社会行为的源泉。国内外有大量的理论研究证明，共情有助于人们形成良好的人际关系，树立正确的三观，影响着人的行为和道德品质。

在大学校史馆展览中，笔者认为，给观众带来共情，比讲清楚大学校史可能更为重要，或者说，应该以情感性的展示设计为出发点，去延展大学校史馆其他功能性的信息输出。共情可以转变为移情，共情可以让大学人更好地在大学的发展历史中寻找可以移情的对象，这个对象可能是一段振奋人心的学校发展史，也可能是一位与自身所学专业相关的卓越学者等。其实不仅限于大学人，其他观众也会产生这种移情，从而对这所大学产生更加向往或认同的感情。当观众将自身映射到大学过去值得被纪念的历史片段中时，最能激发其对文化群体的自豪感、认同感，并形成对这个文化群体强烈的集体认同及情感反馈。并且，通过这些反馈，能更好地激励不同身份的观众，使其对一所大学的文化产生正向的文化认同和促生能量。

在大学校史馆中，观众要产生这种共情，需要通过对大学校史馆整体空间的清晰认知、情感的贴合以及可融入的空间设计来实现。大学校史馆的展示空间历来被认为是一种带有强烈官方属性的展示空间，单纯的大众传播维度，即“一对多”宣传式的展示模式，已经不再符合当代语境的叙事方式。同时，大学校史馆强调其自身作为大学人的精神家园这一充满温情色彩的关于“家”的空间意象，这为大学校史馆空间的认知体验带来了强烈的“房间”感。最有聚焦力和感情张力的建筑体验来自“房间”：它是一个具有鲜明特征的、被围合的空间格式塔（gestalt，意为“完形”）。尽管“房间”的概念通常是指家居生活中的家庭空间，但是大学校史馆作为一个展示大学文化的空间，具有强烈的整体性、集中性和单一性，它又何尝不是一个“房间”呢？在大学校史馆这样一个“房间”中，应该让观众更加清晰地感受到空间内部与外部的区别，呈现出一种心神内向的集中感，体现在大学过去与当下的区别，以及这所大学与其他大学的区别。同样，房间可以对观众的记忆产生极大的影响，在房间和使用者之间会形成一种无意识的映照和体验。当观众身处于大学校史馆的空间时，大学文化就像是在大学校史馆中建立了世界与大学之间的参考坐标系，观众在具体的空间中，让自己的身体感知与空间进行互动，从而产生更加深刻的印象和记忆点，同时观众也将自己一部分的空间体验留在了空间中。

大学校史馆是一个如同“家”一般的房间，借助大学文化记忆的内容和媒介充分描绘了“主人”（大学）的性格和过去的行为。玛丽莲·钱德勒（Marilyn R.Chandler）曾写道：“在美国作家对个人所栖居的结构进行的描绘中，这一结构通常与栖居者的心理和精神生活结构之间具有直接关系或相似之处，并构成了对特定价值观的具体表现。”

或许没有什么案例比关于战争的展示空间更能引发观众的共情，从而激发世界人民对于和平的向往和对战争的思考。安妮·弗兰克之家（Anne Frank House）位于荷兰阿姆斯特丹运河的老街上，当《安妮日记》一书在荷兰出版后，引起了强烈的社会反响。1960 年 5 月，安妮·弗兰克之家作为博物馆正式向公众开放。馆内藏品包括安妮藏身于这幢建筑期间所写的日记、其他与避难者和救助者相关的物品和文件资料等。展馆为了尽可能还原建筑在战时的模样进行了大规模的翻修。展示空间以还原安妮生活过的空间为主，并配有《安妮日记》一书以及安妮的照片等相关展品。《安妮日记》中的片段“躲？我们躲到哪儿去？怎样躲？什么时候？”被设计成空间的标识。

在这个面积不大的展示空间中，空间氛围在安妮的日记、她生活过的痕迹和她悲惨的命运之间形成了鲜明的对比。观众在这个博物馆中，通过空间和展品能感受到密室狭窄空间带来的逼仄、压抑的感觉，与安妮笑脸照片这类温馨的图片展品形成了强烈的对比（图 4.9）。在这样主题性极强的展示空间中，观众被空间内的信息氛围所包裹，从而产生了种种对于共情空间设计点的探讨。最后，在展览结束时，观众会形成对安妮、对战争与和平的重新思考，以及对整个犹太民族在悲惨时期遭遇不幸的历史认同，形成对展示空间强烈的情感反馈。每年参观安妮·弗兰克之家博物馆的人数超过 130 万人次，足以见得该博物馆在世界上的影响力之大，同时这也是人们认同它所展示内容或对其有深刻感受的体现。

通过安妮·弗兰克之家博物馆的案例，再回到大学校史馆的展示空间中，尽管中国大学校史馆直接建设在大学老建筑或与大学相关的老建筑上的情况不多，但是如何围绕大学文化主题，抓住在大学文化中衍生出的大学独特的文化记忆，并结合观众在生理维度上认知事物的过程（本能—行为—反思），利用展示设计实现共情、移情，进而产生个人识别、集体文化认同，促进文化共生，这便是大学校史馆展示认知的核心脉络。

图4.9　安妮·弗兰克之家博物馆

4.3　大学校史馆展示空间的特性研究——创维

大学校史馆展示空间的特性研究，是基于前文3.3节中对于大学校史馆自携元语言解读的具体延展。展示设计应该更加注重挖掘大学校史馆作为一个展示空间的空间特性，以更好地利用这一展示场所，对大学文化进行充分展现，创建多种维度的展示条件，为观众带来丰富的观展体验，以及更多记忆内容的合理规划和解读路径（图4.10）。

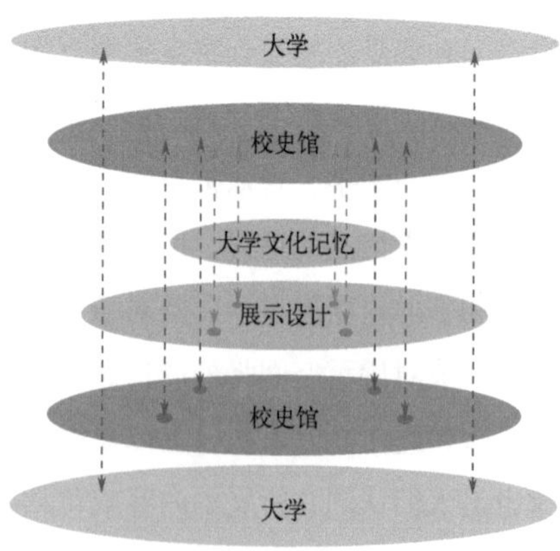

图4.10　大学校史馆展示设计策略分解-大学校史馆自携元语言影响

4.3.1　大学校史馆中的时空交汇

对于大学校史馆来说，因其展示内容的特性，大学校史馆必然是具有时间因素的。现代建筑空间要适应人的行为和活动，空间不应是封闭和静态的，而应是动态的，因此空间本身就引入了时间因素。

罗马的万神庙是体现“时空交汇”这一概念的典型代表。在疆域广阔的古罗马帝国中心，罗马人建立了一个集中式的单一空间，借此把大地与天空连接起来，这也使人类宇宙的形式得以呈现。在这个宇宙中，人位于中心，这集中体现了罗马人对自己在这个世界上的位置的理解。作为古罗马空间创造艺术的典范，万神庙在根本上是一种对内部空间的体现。其空间的形状是一个完美的圆形，这个圆位于苍穹般的圆顶之下，象征着古罗马帝国的疆域边界。穹顶的正上方有一个圆孔，散发着天空光线带来的光晕，这也成为幽暗大厅内的巨大光源，在室内的人们随着光线的移动感受着一天、一年的变化（图 4.11）。而在位于美国纽约的古根海姆博物馆中的螺旋形楼梯与玻璃窗设计，使绘画和雕塑品能同时得到自然光照和人工光照，并将城市的景色融入博物馆中，随着光线的变化营造出不同的观展体验。同时，螺旋楼梯向上攀爬的空间态势，也体现出了人们对文化艺术创作的追求（图 4.12）。

体现出时空交汇的经典展示空间还有很多，形式也不拘一格。大学校史馆同样具有这样的潜力，尤其是在展示内容上已经有了丰富的时空

图4.11　罗马万神庙

图4.12　古根海姆博物馆

积累。大学文化记忆的丰富性令大学校史馆的展示内容既有物质层面的也有精神层面的，这些展示内容是对大学发展历程中具有里程碑意义的经典“时空交汇”场景的凝练呈现，每一处展陈都在诉说着那些曾深刻形塑大学文化脉络的历史节点与精神印记。然而在展示空间中，目前大部分大学校史馆的展示设计都是信息的罗列，展示空间本身还是缺乏对大学时空的映射。这导致文化记忆当下的重构仅仅局限于利用不同媒介形式的展示。但是大学校史馆这一有限的空间，不应单单是诸多文化记忆媒介的总和，而应是一种时间形式的展示空间，只有这样才能在有限的空间中让观众获得丰富的观展体验。

在上述的案例中，对自然元素的利用主要是将光线引入空间，为当下的人带来时间变化的体验，并使他们感受到时间的流逝，从黑暗到明亮的变化，以及室内外时空对比下的“恍若隔世”。只有当展示空间的设计形式与展示内容有一定程度的连续性契合时，才能使观众更好地体验当下。苏联艺术家伍瑟沃罗德·普多夫金的著名电影实验揭示了单体影像的理解来源于它之前的影像的表达，它们的连续会创造新的现实物，而这种现实物并非单纯的元素集合。

在大学校史馆中，通过展示设计，可以对作为展示内容的大学文化记忆进行有时间规划的节奏编排。这种节奏是多种大学文化记忆之间的一种秩序，是对每一段大学文化记忆进行展示的时空规划。二者结合的整体，能以一种最饱满的效果营造大学印象。因此可以说这是在为大学校史馆中的每一段文化记忆寻找适合它们的展示节奏，即通过展示设计的规划，在历史的比较中对每一段记忆进行时空的定位，再把它们一一投射回当下，从而为大学校史馆的空间赋予节奏。文化记忆理论与大学校史馆的展示内容之所以能够有所契合，是因为过去的时空虽然是流动的，但是观众眼前的大学校史馆展示的大学文化记忆却是一次对过去与当下语境的重构。在对过去的回溯与现在展示需求的碰撞中，一段段时空交汇的历史记忆组成了大学校史馆。这种时空的交汇，也可以理解成是一种大学文化展示规律的寻找或展示空间整体的叙事策划。

4.3.2 大学校史馆中的媒介融合

媒介是随着不同时代科技的推动和社会交流需求而产生的展示内容的传播载体。在大学校史馆中，媒介同时也是展示空间内的“展品”。有学者这样总结道：媒介实际上是指传播展示内容的信号的物质实体。就展示空间设计而言，它本身就是建筑中最基本的媒介，而就展示内部的展品而言，传播媒介有文字、图片等各种形式。大学校史馆作为一个展示空间，不仅是整合大学文化记忆多种依附媒介的展示平台，同时也是大学文化记忆最具有综合性质的媒介。

在未来的展示设计发展中，为了扩大对内容的认知，媒介融合的发展趋势是不可抵挡的。但是在真实的融合过程中，旧有的媒介鲜有消亡。人类本体即第一维度传播媒介，在媒介技术发展变化与传播活动的持续演进中，其永远占据着主体地位，同时还是媒介技术迭代所关注的核心原型。在回归对人本身的关怀的现代设计语境中，充分关怀人的自身感受，重视观众对一个设计（不论是产品还是空间）的信息反馈更值得设计师关注。即使设计技术在不断地更迭，但是也会产生更多维度的展示内容，一方面是对展示信息进行更多视角的挖掘，释放展示信息背后的文化力量、主题内涵，另一方面，更重要的是让观众获得更好的体验。“体验”二字正是对第一维度，即人际传播中以人的身体作为媒介获取信息的最好对应。

一般大学校史馆的讲解员虽然是通过个人口述进行大学文化记忆内容的讲解，但其大多被划分为“大众传播”一层。不同的讲解员往往为了保持主题文化输出不出现偏差，会分享同一份讲解稿（即使在某些细节上会发挥不同的主观能动性），可以说他们的讲解是被“复制”的发声，并没有构成展示信息传播的双向流动。因此，当代大学文化在校史馆中展示的媒介以第二维度的传播媒介为基础并向第一维度和第三维度扩散，是充实大学文化记忆媒介多样性的重要发展方向。对于这一点，尽管阿斯曼夫妇作为历史人类学家不能在媒介方面给出更好的解决途径，但是基于本书的研究核心之一，即对展示设计信息的传播功能的探讨，结合文化记忆媒介传播的特性和传播学家对于传播媒介维度的分析，为大学文化记忆的媒介挖掘带来新的生命能量。

基于第一维度中以身体为媒介的传播，笔者认为，应该充分开发大学校史馆中大学文化记忆的媒介。一方面是从展示内容出发，注重让文化记忆“自己说话发声”；另一方面是面向观众，让观众更好地沉浸其中，从而形成表达与反馈。经笔者调研，广州美术学院虽然只拥有一个以照片为主、以实物为辅的校史展馆，但是从 2018 年开始，该校开展了“广州美术学院 987 口述史工程”，致力于口述历史的收集与展示。广州美术学院将这项工程融入课堂教学中，以实践的课形式带领年轻一代学子了解美术史，收集一线资料（图 4.13）。在笔者看来，这亦算是与大学校史馆相近的展示活动。在这个项目的展览中，老一辈艺术工作者的宝贵从业经历，随着时代的变迁融入历史的洪流，逐渐变成了珍贵的文化记忆。策划者使展览充分发挥口述史项目的特色，让文化记忆创造者自己讲述记忆本身，同时也在展览中增添了让文化记忆“自己讲话”的展示模式。这在大学校史馆文化记忆的展示内容以及展示媒介的传播维度上，在一定程度上是对第一维度传播回归的关注。

图4.13 “广州美术学院987口述史工程”展览海报及现场

相较于文字、图片、实物和影像等传统媒介，笔者认为，“艺术装置”或者数字信息装置等高技术媒介形式的最终目的都是通过关注人的感知、结合实际展示内容以及三种传播维度的相互作用，使大学文化记忆的内容实现感官互动。这种媒介融合并非追求不同传播维度、不同媒介种类的均匀发展，而是需要对更具体的大学文化记忆内容进行有策略、有重点的应用。

当代的展示空间作为这些媒介综合的展示场所，正处在多学科协作、多元化的发展中。与以往对艺术品本身的展示与关注相比，现如今转变为对展示空间本身的设计表达，并出现了情景展览模式。

情景展览源于学者对展品在博物馆中相对静观的展出模式的反思，他们认为展品之所以能在展览中出现并获得重要的地位，主要是由于它是一个特定时代语境下社会文化的象征，代表了某一时刻的某种思想。在博物馆中，为展品配备写有充分文字解释的展签是具有重要意义的。美国人布朗·古德（Brown Goode）对所谓的“高效”教育展览的定义是：“这是一组有教育意义的标签，每一个表情都用一个精心挑选的标本来说明。”然而在当代语境下，单纯依靠展签作为媒介来传播信息是缺乏吸引力的。正如前面笔者对于多维度媒介融合的提议，正是为了使大学校史馆展示设计中的观众能有更好的观展体验，进而加深对展示内容的认知，提升观众的参与性并实现展示信息的交互。

同时，笔者认为也应对展示内容的传播媒介加以重视，只有这样才能够挖掘展品的文化潜力，这与文化记忆本身的“可靠性”与“重构性”有密切的关联。无论是文化记忆的重构还是关于过去到现在的再述，它依据的都是过去发生的事实，都基于可靠的记忆。这要求我们深化对历史的反思，体现我们对还原历史的道德思量。因此，对同一记忆的多媒介展示，体现了校史馆对大学历史的尊重和更加趋近于真相的还原。比如，针对同一大学文化记忆，只有根据客观条件，进行多层次的或是形式与内容相配合的展示设计，才能更好地展现文化记忆本身。如 2.4 中所提到的“古都北京 · 历史文化篇”展览，在展览策划中，展柜三个层次、三种媒介的设计，外加展示空间这第四个层次，从展示内容到展示媒介都相互关联，一方面是为了优化观众的体验，另一方面是为了强化展示内容——北京文化记忆的信息传播。

4.3.3 大学校史馆中的艺术性展示

艺术性展示是以教育为首要功能的当代大学校史馆中不可或缺的空间品质。当代中国社会的美育需求极大，大学校史馆作为展示大学文化的平台、大学对外的形象窗口以及大学文化教育传播的重要空间，其美育功能的重要性不言而喻。同时，随着展示设计的整体发展，当下社会大众对于文化展示空间的艺术性要求逐渐提高，国民审美能力不断提升，人们认知事物的方式也从过去单调的平铺直叙，转变为现在多种形式、多种渠道的信息获取方式。因此，加强大学校史馆的艺术性设计研究迫在眉睫。艺术性设计除了能满足大众的艺术需求外，也是大学校史馆展示设计中的重要一环。

大学校史馆中的艺术性设计表达，不仅是为了提升展示空间的设计效果，更如同电影中艺术化的声音形式一般，为整体空间带来具有节奏感的情感体验。展示空间中，既有展示内容和空间的叙事结构，同时也有展示设计自己的艺术节奏。同时在展示空间中，有的艺术形式只是铺垫，但是有时它会成为空间的全部（如展示空间中的灰空间、章节之间的过渡空间等）。展示美学中的艺术表达，需要创作出一种内在的艺术叙事结构。艺术性在展示空间中是一个陪伴者，它致力于打破感觉的平衡，伴随着整体空间的叙事结构，为观众带来感情上的变化。在展示设计的整体展示结构创作中，展示空间艺术性的表达是展示内容创作的另一种素材，它为设计师提供了塑造展示空间内在节奏的途径，使他们不用花费额外的力气去展示空间的情感、情节和诗意等层面的内容。但这并不意味着设计师需要用艺术性为展示内容增添新的信息，而是需要让艺术性设计在大学校史馆展示空间中更准确地向观众传达大学文化的内涵。

大学校史馆因表意而符号化。本质上，大学校史馆通过展示设计讲述了一个关于大学的故事。在展示空间中，不同维度的媒介的堆叠容易使人们认为，大学校史馆就是对大学历史的视觉再现，并尽可能忠实地复制这一故事。尽管大学校史馆确实是在尽可能真实地为观众呈现关于过去的信息，但是从大学校史馆的展示内容，即大学文化记忆上来看，其本身就是当下文化集体对过去知识的重构，无论是从表达还是理解上都一定会带有当下语境的色彩。

从客观的角度看，每一所大学校史馆的展示空间都是有局限性的。同时，为了让观众更好地理解展示内容的艺术性设计表达，应结合不同时代所唤醒的大学文化记忆的侧重点，因此，大学校史馆的展示内容应是有所取舍和选择的。这种取舍既可能是对于文化记忆内容的甄选，也可能是在尊重整体展示叙事结构的前提下，结合艺术化设计创造丰富的叙事节奏。

大学校史馆中总会有一个关于大学的故事，并且是围绕着大学文化传承与传播的观念、目的而设计的一种“诗意”的表达。大学校史馆的艺术性设计主要体现在两个方面：一方面是在大学校史馆整体展示空间中，即通过营造契合的展示设计艺术氛围，引发观众对主题内容沉浸式的思考；另一方面也可以将艺术性的表达形式运用在大学校史馆空间内具体的某一类媒介中，潜移默化地传达大学文化记忆的内涵。对于后者，我们可以从南京中山陵书法牌匾内容及形式的选择与表达中窥见一二。

我国美学学者徐恒醇曾在相关研究中对中山陵的主体建筑进行了设计符号学的分析。他关注到，中山陵建筑将书法艺术进行了充分运用，为建筑添加了思想内涵与精神意境。中国的书法艺术具有双重符码的特性，一方面是它明确传达的内容意义，另一方面，它又是一种表象符号，散发着书写者的情感。中山陵建筑上雕刻的多是孙中山先生的书法作品，一方面，书法内容强调了建筑的主题；另一方面，其为建筑的思想内涵与精神文化意境进行了补充。其中博爱坊上的书法“博爱”给人以人文关怀，陵门上的“天下为公”则表达了孙中山先生的政治追求。在整个陵园中还有 130 块嵩山碑石，共有 15.5 万字的碑刻书法精品，这些书法作品，在不同媒介上通过艺术设计的形式，充分展现了撰写者的情怀与个性，为观者提供了深刻解读孙中山先生人生价值理念的艺术化视角（图 4.14）。

图4.14　中山陵书法牌匾

德国哲学家伊曼努尔·康德（Immanuel Kant）曾指出：在认知中，想象力为理解力服务，而在艺术中，则是理解力为想象力服务。在大学文化记忆事实或者大学文化观念的表达上，展示设计需要为这些客观知识、观念的传播寻找可感知的符号，从而构建出一个具有多种媒介维度的校史馆。大学文化的内涵、大学文化记忆的内容，融入了大学校史馆的展示叙事中，体现在宏观和微观的观展时空中。展示空间的艺术性，体现在利用展示设计组织和展现具体事物时，通过对各个元素的时空配置来表达这些记忆所代表的客观事实和背后的意义。使观众通过调动综合感官的设计形式观看大学校史馆，其目的并不是要让观众对大学校史馆有所反思，而是要通过大学校史馆展示设计的艺术性表达，使其对展示空间及展示内容得到综合性的感知与认知，进而引发对大学本身的反思。这种现象一方面是受到近年来以人为本、注重观众参与的当代展示语境的影响，另一方面，其背后更体现了对拓宽观众认知渠道的重视。

在当代大学校史馆中，我们经常可以看见通过场景还原或者利用一组叙事雕塑进行定格化瞬间的加强，实现展览文字在视觉与知觉上的联动。充分挖掘展示设计的艺术性，既要强调叙事模式对于拓展大学校史馆展示效力的重要性，同时也要关注空间艺术性的展示设计对大学校史馆整体空间叙事节奏的强化，从而使观众对展示背后的大学文化、大学精神等产生共情、反思与认同。艺术化的展示设计能够唤醒大学校史馆中那些“沉默的对象”，拓展各个层面的展示内容。从大学的过去到今天的艺术化设计表达，从大学内涵到外延，从精神到形式的艺术渲染，都是希望能够通过对大学文化记忆的展示，激发观众在这种美育环境中对大学文化生态的感知、学习、理解和认同。

第5章

当代中国大学校史馆展示设计方法研究

本章基于中国大学校史馆“创境、创识、创维”的展示设计策略，以2019～2021年期间笔者深度参与的清华大学110周年校庆校史馆展陈更新项目为设计实践案例，开展具体的展示设计方法的论证与研究。

5.1 当代中国大学校史馆展示设计整体原则

5.1.1 中国大学校史馆中大学文化记忆展示原则

基于本书前面的分析，从大学校史馆展示空间的四项核心需求（大学文化的教育需求、大学文化的传播需求、大学文化的认同需求、大学文化的共生需求）出发，结合大学校史馆展示设计的四项发展趋势（展示策略与形式符号化、展示设计媒介融合共生化、展示设计内容传播双向化、展示设计促进文化生态化），以及大学校史馆中的文化记忆内涵（认同性、重构性、媒介性、组织性、约束性、观照性），笔者认为，当代中国大学校史馆中大学文化记忆的展示设计原则有以下四条。

（1）内化与共享

在大学校史馆中，对于大学文化记忆的展示，是在大学历史整体回溯中对大学文化资源的整合与共享。大学校史馆作为研究大学校史的机构，不仅是大学档案馆的延伸与释放，也是对大学文化系统性研究以及展示传播信息的整合。同时，基于大学校史馆展示空间“时空交汇”的特性，大学校史馆既是大学人纪念大学历史的场所，同时也是未来的大学人进行“大学文化记忆”积累的载体。通过展示设计的力量，大学校史馆对每一代大学人所生成的大学文化记忆进行汇集展示，形成充满生命力的大学文化的“时空长河”。

大学文化记忆的展示是一场当代中国大学文化内容和精神的共享。通过展示设计（物质媒介），可以真实地呈现大学发展的历程，呈现大学和大学人在社会发展中的重要作用和立身之本，这种大学文化在社会层面的共享是对大学自身发展的肯定，是大学群体在社会上的定位标识，同时也是中国大学文化力量的展现。当代中国大学文化的发展响应时代的号召，与社会、人民的发展息息相关，不仅是大学内部的自我进化，更与国家发展、社会进步、人民需要等相互促进。大学文化的共享，也有助于提升我国大学整体文化自信和文化自觉。因此，大学文化记忆在中国大学校史馆中的展示核心是大学文化的内化与共享，是中国大学和大学人内部的自我观照，是中国大学文化整体对外传播共享力量的整合。

（2）真实与清晰

大学文化记忆的展示也是每一代大学人对于大学过往历史的重述。每一次大学校史馆的展示设计更新都应该秉承真实展示大学过往记忆的设计原则。正如前面所述，大学校史馆的展示，是为了向大学人展示对历史的缅怀，以正其身，以立其史。中国大学一直跟随时代的变化而发展，其中不免会出现行政制度的变化，如几所高校合并等，因此会引发对大学来源的寻根问底，涉及如大学起源时间、起源契机等一系列问题。因此，真实客观地展现大学的起源和发展，是对于大学文化本身真实性的回应。诸如此类对于大学真实历史的回溯，不但体现在大学校史馆展示内容的规划上，同时也体现在大学校史馆的展示设计中。展示设计对大学文化记忆的释放，始终应该以大学文化记忆、大学文化本身为准，其艺术性、设计性以及展示媒介技术的应用，都应该以展示“真实的大学”为出发点，从而充分体现出设计道德对设计本身的约束。

同时，大学校史馆作为大学校史的研究场所，其展示内容暗含了对大学历史的梳理和再现，能够清晰呈现大学在历史更迭中的发展过程。因此，在进行展示设计时，应该更加注重校史馆展示内容的编写逻辑，按照其真实内容的篇幅、体量、先后等进行有依据的设计表达。但这也不意味着设计要全部遵从内容，而是应以清晰的展示大纲为基础，寻找亮点进行有理有据的设计转化。

（3）更新与重构

对大学文化记忆的展示，应基于中国大学校史馆已经呈现出的“展示更新”的设计更新现象，以及大学文化记忆的时代性、重构性等内涵特点，即进行一所大学校史馆的展示设计时，应该根据大学自身的现实情况，进行有周期规划性的展示更新，或是在前期展示设计中，对成长型的展示内容进行可持续的展示设计规划。每一所大学都有重新利用其过去的文化的权力，并且大学文化记忆的传承需要符合当下社会语境的传播方式，只有这样才能更好地为大学人、社会观众进行解读和传播。由于讲述“大学记忆”的时代背景不同，大学的发展方向可能各有侧重，或保持一致，因此，在大学校史馆的展示设计中，要让展示媒介、展示技术随语境变化而调整。通过大学文化记忆的展示设计形态，在不同时代语境中充分表达大学文化，这本身也是一项设计挑战。在大学校史馆的展示设计中，要考虑到这种社会背景所带来的影响，其展示设计是在时代影响下对大学文化记忆一次又一次的真实重构。

（4）美学与美育

大学校史馆作为大学文化教育的展示空间，其始终以大学文化育人为核心目的，是非营利性的教育展示场域，秉承了当代中国大学文化育人的崇高理念。其展示原则不但要适应展示大学文化记忆的需求、社会语境的需求等，更应该关注到大学校史馆始终是文化教育的展示空间。因此，在使用社会层面上一些泛娱乐化的展示设计手段时，应该有所警惕和考虑，根据展示内容的需要进行选择，而不是一味地顺应观众的观展喜好。同时，美育从近代中国大学开始发展之时就已被提起，在当代中国大学中更是时代教育的关键元素之一，在大学校园景观、建筑等规划设计中被反复提及。

大学校史馆在展示大学文化记忆时，以设计为桥梁，结合中国传统美学倾向，利用当代社会语境下的材料与设计方法，营造富有民族文化、地方特色以及大学自身意象的设计形态与空间意象，从而为以大学人为主的展示观众带来更加深层次的文化熏陶。因此，通过这种充满美学内涵的文化展示空间的艺术氛围，能够引领观众接受大学文化心灵层面的美学教育，这也是对现在更加偏向于单向信息传播的大学校史馆展示设计的信息传达方式的突破。基于观众在一定程度上拥有对展示内容进行自我解读的机会与权力，因此，应该让观众能够真正参与到大学文化传播的过程中，令大学文化记忆在每一次展示中都能得到文化信息的增量。

5.1.2 中国大学校史馆的展示设计组建力量

当代中国大学校史馆的展示设计组建力量，涉及一个大学对其过去文化的当代建构，是一种具有权威性的大学文化记忆“继承”与“创造”的机构性媒介。在当代文化记忆研究学者阿斯特丽德·埃尔（Astrid Erll）看来，“若无在个体和集体这两个层面所扮演的角色，文化记忆根本无从想象”。对个体而言，人的记忆的塑形在社会文化层面中对中介化具有一定的依赖性。而被复杂的社会文化环境所包裹的集体记忆，在面对过去共同知识的传递与交流时，稳定的媒介更加重要。在当代社会语境下，“记忆”的媒介承载、依附之多，致使人们对于碎片化的记忆获取越来越充满随机性、不确定性和不真实性，大学文化记忆同样面临这样的问题。

大学校史馆作为大学文化记忆的集中式展示平台，也因此成为中国大学文化记忆表意实践的机构性媒介。在现代社会媒介纷繁复杂的现象中，机构性媒介的记忆作用愈发重要。记忆在被媒介表达的时候，可能以高度戏剧化的方式呈现出来，并使一些文化记忆获得更大的说服力。此外，记忆的再现，可能又会受到被再现的场域内的生产常规和文化规则的影响，出现叙事模式、价值观立场、观众对官方信源的倚重，以及不同视角如何平衡处理等问题。因此，大学校史馆展示设计的组建绝不是大学校史馆或者展示设计方独立决定的过程，而是为了保证大学文化记忆在每一个时代语境重构时的真实性与道德性表意，需要组建一个尽可能完整的策划、设计与建设队伍进行大学校史馆的建设工作。

结合笔者在清华大学校史馆的设计实践以及相关访谈与资料调研，笔者认为大学校史馆展示设计的组建力量，多以各大学校史研究室为主。作为大学校史馆相关工作的一线人员，他们是大学文化记忆展出方式的重要组建力量，代表了当代大学对大学文化记忆的权威解读。如果大学中未曾设立大学校史研究室，则通常由大学档案馆、大学宣传部等相关的大学文化建设部门作为核心牵头单位。他们更多的是对展示内容、展示需求进行整体把控，往往承担了大学校史馆大学文化记忆展示设计过程中主策展人的职责。

大学文化记忆的创建者——大学人对大学校史馆展示设计的参与是必不可少的。大学人主要包括在大学校内工作、学习的学生及教职工（不但包含大学的师资队伍，还包含大学行政、后勤等一系列部门的相关代表）。大学校史馆是当下对于过去文化的重构的解读，因此，大学各教学行政部门以及学生对于大学校史馆展示设计的愿景、评价、建议是不可或缺的。同时，他们在当下对于过去大学文化记忆的重构，也会影响未来大学人以何种方式继续认知曾经的大学历史。他们的参与，既是对于大学过去的重构，也是对于未来大学文化发展的期待和积累。此外，大学人的重要组成部分还包括大学校友与大学的离退休教职工等，他们作为大学历史的亲历者，是把握大学文化记忆展示真实性的重要“舵手”。大学校史馆作为大学人的精神故乡，不但是为当下和未来的大学人以及社会大众提供大学文化教育的场所，更是曾经的大学人缅怀大学历史的展示空间，是凝聚一代又一代大学人力量的地方。大学文化的续存不但依靠大学人在大学期间的知识产出，同时也依赖每一个从大学毕业、离退休的大学人，他们都是大学集体的一分子。大学校史馆是将大学人与大学紧密结合的展示场所，他们同样参与到策展阶段中，是为主策展人提供大学文化记忆基础资料和对展览进行检验的存在。

以大学人为核心的观众群体是大学校史馆内化型展览的特色来源，这主要是源于其展示大学文化的核心任务之一是发挥德育功能。同时，在前期分析中笔者指出，为了实现这种内化的文化感染，加强集体无意识的凝聚和调动，同时借此更加充分地展现中国大学各自文化发展的特色，大学校史馆的展示形式也受到了一定的影响。大到整体大学校史馆展示设计的语境营造、展示内容的叙事特色等，小到一些展示设计局部的色彩、材质或展示空间的装饰等，都源于这种核心观众群对大学解读的背景，更偏向于在大学文化本体中寻找设计表达的途径。社会大众对大学文化的认知来源于展示设计对观众一般识别路径的考量，同时也需要独特的设计表达，以更好地凸显每所大学的文化特点。

为了实现策展人关于大学文化记忆在大学校史馆中的展示想法和设计方案，展示设计师（公司、团队）以及施工单位也是重要的展示设计组成部分。展示设计师（公司、团队）结合大学文化展示的需求，对策展人提供的大学校史、大学文化记忆等脚本资料进行解读分析，并对大学校史馆观众群体进行分析，结合展示设计和设计施工的可行性，进行专业的设计策划和设计方案实施。当代中国大学通常以综合性学科发展为主，笔者认为，当一所大学设有艺术设计、建筑等相关专业院系时，大学校史馆的展示规划也需要与其结合。大学人既是大学文化记忆的重要组成部分，也是大学校史馆的主要参观者。具有大学校史馆展示设计建设相关经验的大学人、机构，可以在校史馆展示设计建设过程中提供一定的专业意见。

在清华大学 90 周年校庆之际建设大学校史馆时，校史馆的展示设计就是由清华大学建筑学院和美术学院师生联合完成的。百年校庆和110周年校庆时校史馆的展示设计和展陈更新均由笔者所在的美术学院师生设计团队完成。对于参与校史馆展示设计项目的师生来讲，这既是一个关于专业技术实践转化的设计项目，也是一次具有纪念意义、教育意义的大学文化感悟过程。由大学人组成的设计团队，不仅可以继承曾经大学校史馆展示设计的经验，同时也能更好地挖掘大学文化的“集体无意识”。学习、工作以及生活在大学中的人往往更懂得如何挖掘并搭建大学文化的解读体系。

在整个设计过程中，笔者所在的学院设计团队成为连接大学校史馆、施工单位和大学校史馆观众的中间人，也可以称为“释展人（团队）”。所谓“释展”，是指用通俗易懂的语言对展示主题、空间和设计进行阐释。在大学校史馆的展览策划过程中，如果说策展人代表了对展示主题、大学文化内容的官方解读和官方立意，那么释展人的作用则是在观众、展项与大学校史馆三者之间，以及权威知识与大众所具备的认知片段和常规的观展模式之间搭建沟通的桥梁。同时，释展人也能在施工方团队进行展示设计实施细节上的推敲和深化时，对展示形式和内涵进行把控。

因此在本书中，笔者正是基于策展人对于展示内容、目标的立意和观众观展的识别路径、意义，进行大学校史馆展示设计策略建构，并基于展示设计策略连接展示现场进行具体设计方法的进一步研究。通过对两端的双向互动，充分带动和促进了大学文化记忆在大学校史馆中展示动态表意过程的立体化、全面化。

5.2 大学校史馆展示空间环境演绎——绘景

在本节中，结合第4章展示策略研究三个层面的指导，以及立体的展示设计方法研究中的“展势”设计，关注如何在大学校史馆展示空间中展示大学独特的文化气质与气势。其核心思路是，从调动观众进入大学校史馆时的本能感受出发，为后续具体解读大学文化记忆的展示内容锁定大学文化群体。通过结合大学校园景观、孕育大学文化记忆的社会语境、地域景观等，在展示空间进行大学文化独特气质的设计映射。笔者认为，这一阶段在具体设计上可以称为在校史馆中通过展示设计对大学文化记忆所代表的大学文化进行“绘景”的阶段。

5.2.1 大学校史馆整体空间大学设计语境的营造

在清华大学 110 周年校庆校史馆展陈更新项目中，笔者所在的设计团队首先与以大学校史研究室为大学官方代表的策展人进行了关于展示任务的沟通与确定，并勘察了现存大学校史馆的展示设计场地。相较于清华大学 90 周年校庆和百年校庆时的大学校史馆展示设计，本次 110 周年校庆的校史馆展陈更新设计是对前两次展示脉络的辩证继承，并提升了展示技术、工艺，进行了符合时代语境的展示设计表达（图 5.1、图 5.2）。

图5.1 清华大学90周年校庆校史展览（清华大学老铸工车间一层）

图5.2 原清华大学校史馆展区

设计团队在展示设计初始阶段，除了完成对展示内容的解读、学习，并提取相关设计元素外，还完成了前文所述的大学校史馆展示设计策略的第一步——通过“创境”打造一本解读大学文化记忆的语境字典。首先是对清华大学整体校园环境进行了再次勘查和复盘，希望能够在清华大学校史馆中，打造一种解读清华大学文化记忆的语境字典。大学文化记忆的重构方式必然会与解读的时代语境息息相关，因此，设计团队在语境塑造过程中也反复与大学校史馆策展团队（大学校史馆官方工作人员，负责把握大学校史馆的展示期望）针对设计方案进行了密切的沟通。

此次清华大学校史馆的更新改造凸显了清华大学中西文化融会贯通的学术精神，主要是为了表达学术无国界的思想。无论是科学技术还是人文精神，都是人类追求进步的共同产物，因此只有将学术发展置于世界发展中，才能实现更大格局的发展，这也是新时代思想下的大学办学理念。同时，更新改造设计也体现了清华大学为国为民、发展自身、不断奋进，勇登中国大学教育前列之高峰的时代精神。

基于以上思考，设计团队首先根据清华大学校园规划与景观建筑的现状，使大学校史馆内的展示设计与之相呼应。清华大学校园内现存多栋具有极高历史文化价值的建筑群，多是由中外名家设计建造的，不但体现了清华大学校园文化的变迁，也体现了中国建筑的历史变迁，反映了在不同时代语境下，大学校园建筑景观规划的思想内涵。同时，清华大学校园景观的变化，更与不同时期大学自身的发展有着重要的文化呼应关系。

例如，具有标志性意义的清华大学老校门（在清华大学校园扩建后称为“二校门”）在 1909 年开始建设，与校园内的同方部等建筑同期兴建，于 1911 年竣工。1919 ~ 1921 年间，清华大学史上的“四大建筑”——大礼堂、老图书馆、体育馆（前馆）与科学馆修建完成。设计团队在考察清华大学校园建设时，不但对校园内的古老建筑、景观进行了考察，也对近年来由瑞士建筑师马里奥·博塔设计的清华大学艺术博物馆、人文社科图书馆，中国著名建筑学家关肇邺先生主持设计的清华大学图书馆四期工程，美国建筑学家罗伯特·斯特恩设计的苏世民学院，以及清华大学建筑设计院设计的清华大学中食堂、宿舍等相关景观与建筑项目进行了考察，形成了对清华大学校史馆一层展区，即从“清华学堂和清华学校（1911 年）”到“多科性工业大学（1976 年）”的设计素材积累。

为提升清华大学校史馆的展示张力，并借助新时代的展示设计技术和项目资金等外部环境的支持，设计团队在初期的设计策划中，将清华大学校史馆中大学文化记忆的展示设计语境从校史展的范围中拓展开来。区别于10年前清华大学校史馆的展示设计是从展厅开始，本次展示设计将清华大学校史馆视为展示大学文化记忆的整体，从校史馆入口就形成了浓厚的清华氛围，体现出极强的清华印记，塑造出强烈的清华大学文化记忆的识别度（图5.3、图5.4）。

图5.3　原清华大学校史馆序厅场景

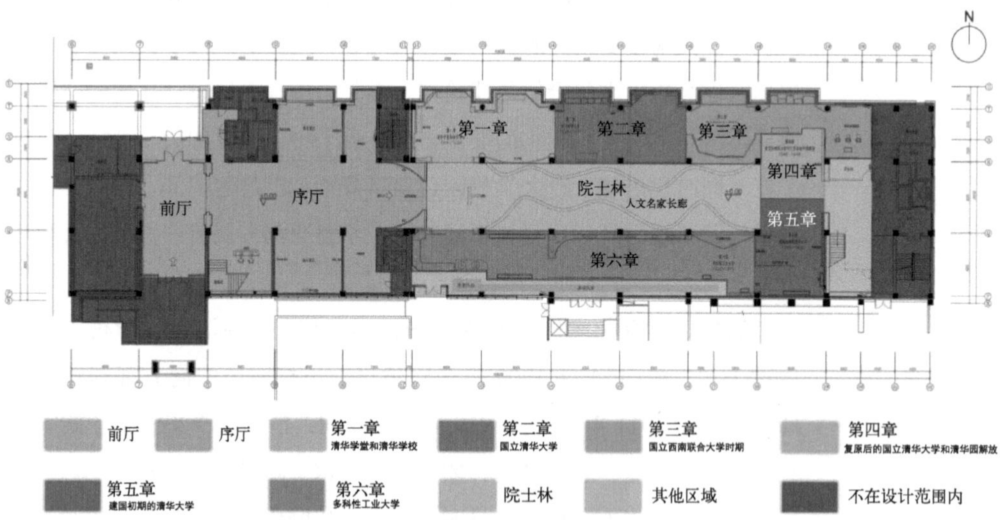

图5.4　清华大学校史馆一层平面图（清尚建筑装饰工程有限公司提供）

在本次改造中，设计团队利用以大学标识性的“二校门”“科学楼大学门”作为设计原型，对“老校门”“建筑门”等景观或建筑元素的功能属性和造型设计进行了再媒介化的符号形式设计，并将其放置在清华大学校史馆的序厅处。同时，结合校园内多处新老建筑带有“圆拱”“红砖”以及“深色木地板”的建筑风格，对一层整体空间（从序厅到校史展厅，加之校史馆公共流通空间）进行了营造。并且，在序厅处连接一层和二层的步行梯设计，也与“清华学堂”的内部建筑风格相呼应。以“砖红色”为代表的展示空间，同时也是对清华红区建筑风格的一种历史回应，呈现出具有浓烈清华历史色彩、庄重、沉稳以及中西交汇特色的一层展示空间氛围（图 5.5、图 5.6）。

图5.5　清华大学建筑元素提取图（清尚建筑装饰工程有限公司、设计团队提供）

图5.6　清华大学校史馆序厅现状

在清华大学校史馆的二层整体设计中，更多的是基于对大学文化记忆内容的解读，其展示设计的主要范围从“改革开放创一流（1977 年）”到“新百年 新时代 新征程（2021 年）”。这部分的展示内容多与清华大学最近 40 多年的发展成果、体制变革等内容有关，充分呈现了清华大学和清华人对国家、社会的发展贡献以及自身不断前进、努力蜕变的成果。并且，为了延续一层展厅中“红砖与圆拱”的偏传统的设计风格，校史馆二层整体展示空间的基础设计从“红色工程师的摇篮”以及“社会发展基石”等设计理念出发，利用木质材料亲和、沉稳的天然性质和简洁有力的“四梁八柱”造型，呈现出展示空间的基调。而在具体的展示空间氛围的营造上，为了体现在时代发展下，清华大学在不同方面、不同时代的多方面齐头并进的发展趋势，设计选择以不同色彩的元素来表达大学文化在不同发展时期的特点（图 5.7 ~ 图 5.9）。

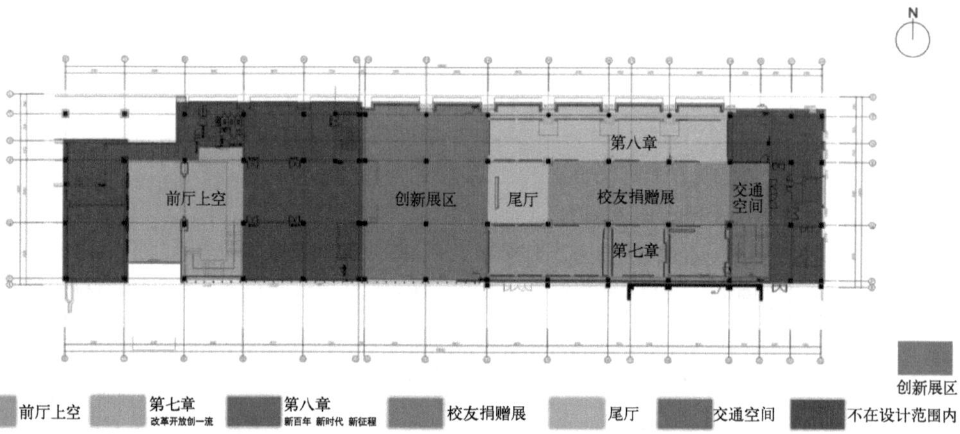

图5.7　清华大学校史馆二层设计平面图

图5.8　清华大学校史馆二层整体空间设计

图5.9　清华大学校史馆二层展厅现状

5.2.2　大学文化记忆在校史馆中艺术地栖居

在本次清华大学校史馆的展示设计改造中，尤其是一层整体（序厅与一层校史展示空间）的设计语境打造，呈现了展示设计策略“创境”的环节。通过寻找大学人与大学共同的“集体无意识”设计原型，对设计语境进行打造，力图提醒观众，其置身于清华大学的展示空间中。例如，相对于“科学楼门”的造型，清华大学二校门的造型具有更明显的社会辨识度，这样的原型再设计，能够将社会观众对于清华大学的“集体无意识”转化为对清华大学独特语境的识别。将可识别的设计形态进行放大和利用，加强整体氛围的营造，充分触发观众的视觉感官联动，帮助观众锁定即将解读的大学文化记忆的范围，并触动观众的本能。这一环境的营造，是社会文化到大学再到大学校史馆的逐层映射，尽管在清华大学校史馆的展示设计中，对大学诞生地缘文化的景观呈现缺少一定的反映，但是因其自身大学文化记忆的积累十分充足，且具有强烈的社会辨识度，因此在校史馆的语境表达中，将设计表达主要集中在大学本体上。

清华大学校史馆展示空间总体设计的主要目的就是利用综合设计手法，借助材质、灯光、色彩甚至是音乐，并在后期结合更加细致的展品排列、特殊展项设计等，能够在短时间内触发观众对空间的强烈感受。艺术史家巫鸿先生在《“空间”的美术史》一书中曾提到，“总体艺术”（Gesamtkunstwerk）这个词由德国音乐家威廉·理查德·瓦格纳（Wilhelm Richard Wagner）在1849年提出，也被译为“总体剧场”。简言之，它是指剧场里绘画、建筑、音乐等各种形式的综合展示效果，观众通过综合的感官体验得到整体化的艺术经验。在巫鸿看来，“总体艺术”概念的提出，对于研究美术史资料具有几个相当重要的启示：其一，图像和建筑等形式共同构造出一个“视觉和物质空间”；其二，多元的感官体验，打造了一个“知觉空间”，与上述“视觉和物质空间”重合；其三，主体的活动与感受是空间元素的一部分，空间被理解为建构主体经验（也包括想象中的经验）的所在，因此它可以被称为“经验空间”。

对笔者来讲，“总体艺术”对于大学校史馆展示空间的打造有着重要的参考意义。随着大学文化记忆和大学精神的不断积累，以及媒介技术手段的发展，未来无论是在综合型大学还是在专业型大学的校园文化建设中，大学校史馆的展示空间都应以呈现一所大学独特的文化气质为切入点，展现一所大学的士气。在整体展示空间中，进行点题般的整体化的艺术设计，并结合展示设计细节，使大学校史馆成为建构视觉和物质的空间、可以被感知的空间，以及每个观众或者大学文化群体感知大学文化的经验空间。

在美育的指引下，大学文化展示空间氛围的营造，一方面为观众带来了良好的观展体验，另一方面也使大学校史馆的展示内容——大学文化记忆得以“艺术地栖居”。通过对展示空间整体艺术体验节奏的把握，大学文化记忆得以充满情感地被展示，并与观众进行更好的情感互动。在一切设计手段的支撑下，设计师将静态的文字、图片等基础媒介形式转化为可感知的艺术体验。大学校史馆空间“总体艺术”般的设计形式带来的综合感知能力也为观众提供了发挥主观解释能力的基础，令大学文化精神得以在空间中被感知、被解读，这种从本能的感知到精神层面的反思，体现了当代中国大学校史馆场所精神的设计塑造。

5.3 大学校史馆展示内容结构设计——绘事

在本节中，结合第4章中展示设计策略研究三个层面的指导，以及立体展示设计方法“展示+叙述”的环节，重点关注大学校史馆在展示空间中具体描绘大学故事时，其展示媒介的分析和叙事模式的特点。在不同时代，大学文化记忆所附着的媒介载体也不相同，对丰富的媒介形式进行分析并加以设计，实现不同维度的媒介融合，这也是当代中国大学校史馆的发展趋势。同时，基于大学校史馆主线叙事模式的特点，笔者认为需要抓住展示内容“以小见大”的叙事特点，在尊重由大学校史馆提供的展示内容脚本资料的基础上，进一步结合大学文化记忆、大学校史馆的展示需求以及观众的认知需求，开展内容信息的设计与释放。这一阶段的具体设计，可以称之为描绘大学文化及其具体历史发展沿革的“绘事”阶段。

5.3.1 大学文化记忆在校史馆中的媒介形式应用分析

（1）大学文化记忆媒介：从有形媒介到再创造媒介

在大学校史馆中文化记忆叙事结构的设计阶段，首先提到媒介形式的应用，是因为即使不通过具体的叙事模式进行组织，文化记忆依附的每一类媒介，甚至是每一个单独的媒介，都已经围绕它所呈现的大学文化记忆内容讲述了大学的故事。展示叙事的规划，是为了更好地把这些散落在大学历史中的碎片故事进行更加具有逻辑性的组织。因此，在具体设计时，即使有一些媒介形式（如文字、图片等）看起来与当下展示设计大环境中采用的媒介形式有所不同，但是对于大学校史馆而言，最为基础的文字和图片以及实物等都有它们存在的理由，同时也是不能在设计中被忽视的关键元素。

大学校史馆既是大学文化教育的空间，也是校史研究成果的展示空间，其中的文字内容，既体现了对大学历史研究后形成的认识和理解，也为大学未来的发展提供了具有重要作用的资料，这源于大学文化记忆需要依托文字这一人类社会发展至今最为稳定的“记忆载体”，进行客观的、据实的承载。而图片在当代以视觉为核心的观展模式中占据尤为重要的地位：不同时代、不同主题的图片展示，能让观众在读图瞬间唤醒对画面所定格的时空与事件的记忆，从而产生回归感。因此，图片既是校史馆中呈现过往客观事实的最佳“证据”，也是构建具体时空与事件解读语境的优质媒介。同时，文化记忆的承载媒介，其技术互动功能性越高，其传播目的就越靠近观众而非记忆本身，其越靠近传统媒介（稳定媒介），就越靠近文化记忆的内容，也就越靠近展示对象的历史客观现实。

在清华大学110周年校庆校史馆的展示设计中，设计团队对清华大学留存的大量照片进行了围绕展示内容主线的规划排版，同时利用大量的清华大学各个时期的校园景观照片，并根据展示内容的需要选择了一些具体场景类的照片，利用设计手法对它们进行符号化的设计叙事表达或者氛围表达。在清华大学校史馆一层“国立清华大学”时期（1928 ~ 1937年）展区中，为呈现“一二·九”运动期间清华大学爱国师生充分展现的爱国情怀，设计团队在设计过程中，利用多层次的图片进行空间氛围的营造，将其中一张具有代表性的照片放大，进行符号化的夸张设计，并配有“怒吼吧！”的红色文字，来表达那种穿越时空而来的清华师生对于爱国精神的追求。设计团队希望通过借助基础媒介，即当时文化记忆本身依附的媒介形态，打造带有过去文化回响的记忆场所，并通过该空间，激活属于清华大学自身内观的情感与记忆，重新建立关于“历史事件中的清华大学”的叙事空间（图 5.10、图 5.11）。

图5.10　清华大学校史馆纪念“抗日运动”展区设计过程效果图

图5.11　清华大学校史馆“抗日运动”展区现状

上述设计形式体现出利用已经存在的媒介形式，甚至是传统的媒介形式，通过展示设计在大学校史馆空间中进行媒介的组合应用。同时，在清华大学校史馆中，设计团队还针对大学文化记忆的内容，在空间条件允许的情况下，对其内容进行重点展示，为文化记忆内容创造新的媒介形式。在 3.1 节中，笔者探讨了大学文化记忆媒介在媒介本身的特点中体现的再媒介化，以及可供性、可控性等特点。通过展示设计，可以对文化记忆依附的媒介形态进行创造和雕琢，让文化记忆在被观众认知和理解的路径上更加富有情感价值。而这种形态雕琢的原型，来源于设计师对于文化记忆本身内容的解读，以及在文化记忆产生时代和被解读时代中对该文化记忆内容所适合的媒介形式的设计思考。

同样是在“国立清华大学”时期（1928 ~ 1937 年）展区中，通过设计新的媒介形式，设计团队对该时期“名师云集”的教师名单进行叙事内容的再强调。国立清华大学时期是清华大学大发展的黄金时期，朱自清、陈寅恪、冯友兰、潘光旦、刘仙洲等一众中国各界学术大师在清华汇聚一堂，成为中国近现代教育史上浓墨重彩的一笔。因此，设计团队特别利用了充满中国传统文化元素的竹子、篆刻印章、中式长案以及一块写有“清华园”的旧牌匾，将这几十位名师的名字篆刻在印章上，形成了一个基础的互动区域和对内容再强调的设计区域。该设计形式一方面希望借“竹影”中竹子的造型语言，通过符号化的设计代表中国传统文化中“梅兰竹菊”四君子之一——竹子所代表的君子风骨。另一方面，利用可以印在纸上的不同专业的名师名字，为观众留下一份可以带走的“清华记忆”（图 5.12）。

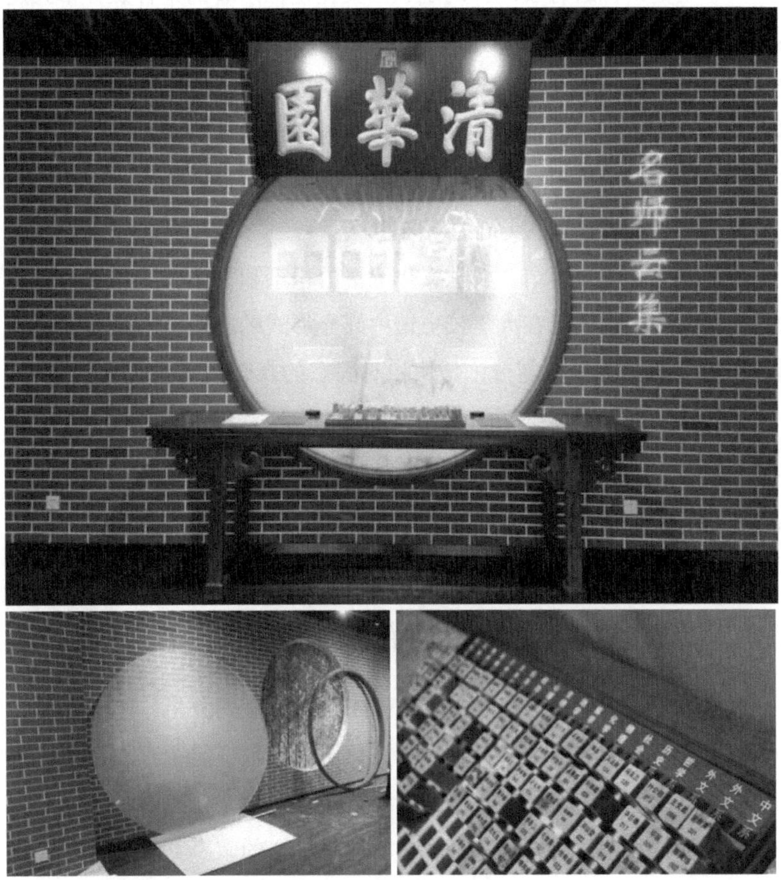

图5.12　清华大学校史馆“名师云集”展区现状

（2）内容的识别层级：普遍到特殊，固态到动态，经验到抽象

在清华大学校史馆中，在各种层面上利用媒介进行叙事的表达是有

限的。通过项目的设计实践，并结合对其他大学校史馆展示设计的考察，笔者认为，在大学校史馆叙事逻辑的设计分析前，进行不同类型媒介资料的积累、识别是必要的步骤，是在整个展示设计中，对展示内容从散落的设计“点”信息到“线”系统的梳理。只有先对大学文化记忆的有形媒介进行充分认识，才能结合大学文化记忆的叙事逻辑进行展示空间“面”的搭建。同时，基于不同类型媒介的积累，可以构成大学校史馆展示内容的识别层级。

以清华大学校史馆为例，积累最多的大学文化记忆媒介便是文字，之后依次是图片、影像、互动展项，以及根据主题创造的艺术媒介等，其他大学校史馆普遍有着同样的现状。文化记忆附着的某种媒介形式越多，就越能够成为大学校史馆展示设计中最为广泛和基础的媒介层级。传统的媒介形式，如文字、图片等，是相对固态的媒介形式，体现了传播维度的单向性和解读的稳定性。贴近现代技术、具有交互功能的展示媒介或根据展示设计内容再创造的媒介，则是相对动态的媒介形式，带来了展示内容传播和信息交流的双向性。

因此，笔者认为，结合大学文化记忆的积累和大学校史馆展示叙事的需要，大学文化记忆在大学校史馆中媒介形式的应用，是从普遍媒介到特殊媒介的展示和再创造，是从相对固态的媒介到动态媒介的应用，是从一般经验可以直接识别的媒介到有符号设计意识、能对大学文化记忆带来抽象理解与感知的媒介。通过拓展大学文化记忆媒介的设计应用范围，可以更好地搭建其叙事模式。

5.3.2　大学文化记忆在校史馆中的叙事逻辑设计分析

通过对大学文化记忆在大学校史馆中媒介类型的分析，笔者认为在大学校史馆的展示叙事中，对于大学文化记忆的叙事组织存在两条可行的叙事路径。第一条路径是根据大学的特点、大学文化发展特色、文化记忆的积累，针对展示内容进行叙事，这是主要的叙事路径。第二条路径是在第一条的基础上，挖掘媒介叙事的力量，借助设计思维和媒介技术，通过对多维度、多类型媒介的设计运用，以及根据展示内容创造媒介载体等方式，拓展叙事实体空间信息的承载量。同时，第二条路径也更适用于展示在时间上更加贴近当下的记忆内容。两条路径的结合可以让一所大学的校史馆展示设计通过多维度、多渠道的叙事模式和途径，充分且立体地展现大学文化的内容与内涵。

（1）第一条路径：以内容为主的叙事模式分析

在笔者参与的清华大学110周年校庆校史馆展陈更新设计项目中，校史馆的展示叙事模式整体上延续了90周年校庆和百年校庆时修建的校史馆的叙事模式。采用以大学整体历史发展为主要脉络的历史线性发展叙事模式，整体空间包括主展区、人物展区和创新展区三大部分。主展区以时间为轴线、以重点事件为亮点，展现清华大学110年的发展历程；人物展区重点陈列学者名家、清华英烈、杰出校友，体现水木清华的育人成就；创新展区精选部分科研成果，反映新时代的清华担当。主展区在时间轴线上又分为：清华学堂和清华学校（1911～1928年）；国立清华大学（1928～1937年）；国立西南联合大学（1937～1946年）；复员后的国立清华大学（1946～1948年）；新中国成立初期的清华大学（1949～1952年）；多科性工业大学（1952～1976年）；改革开放创一流（1977～2011年）；新百年 新时代 新征程（2011～2021年）这几部分。每个阶段中又通过“管理体制、办学理念、教师队伍建设、教学与科研、校园建设、国际交流、学生活动与校园文化”等纵向板块，根据各个阶段历史的不同发展情况进行展示（图5.13）。

清华大学校史馆的展示内容始终围绕大学整体展开，辅以专题内容进行一些细节补充。笔者通过与撰写脚本的老师沟通得知，这种安排方式主要源于清华大学学科发展丰富，若采用非时间线的主题，或者以院系和学科发展作为校史馆叙事模式的框架，则会在有限的展览空间中造成展示内容重复、遗漏甚至不连贯等问题。同时，以整体的线性叙事模式去展示大学校史也有助于在大学发展的各时代、大学的各专业院系等之间形成一种展示的平衡。而这种大学整体时间线的划分，也充分体现了清华大学是与我国社会时代共同发展的大学。

曾任清华大学副秘书长、校史研究室主任的田芊，在清华大学校史馆的内部出版资料中指出，清华校史的历史分期是对大学不同历史阶段性质、特征的梳理与概括，旨在让人们认识大学历史发展的总体进程，探索与把握大学历史发展规律。历史的前进，必然会受到社会政治、经济以及文化等方方面面的影响。分阶段地论述历史，有助于更好地了解不同时代和不同阶段的特点。现在清华大学校史馆的历史划分更加偏

图5.13　清华大学校史馆部分展区现状

向于在社会发展的大背景下，对清华大学自身的发展历史进行一个阶段性的展示，这也充分表明了清华大学乃至中国大学与中国社会发展时刻紧密相连的社会现实和社会意义。

因此，在清华大学校史馆大学文化记忆的研究比较成熟的情况下，笔者所在的设计团队基于大学校史馆（即策展人）给予的叙事模式，为了让展示设计能够更加具有张力，进行了充分的思考，并且在设计的过程中，体现了脚本并非设计的枷锁，而是设计的方向标，在主线脉络不变的基础上，结合实际的设计分析，在方向标的指引下，找到最具有展示效力的路径。

在具体的设计中，设计团队抓住了在清华大学校史馆“大历史”叙事中“以小见大”的展示内容延展特点，即遵从清华大学校史馆策展团队提出的顶层叙事逻辑，在历史线性到专题内容的叙事模式下，充分挖掘从个人记忆到集体记忆的历史展示，以及从有形媒介到创造媒介进行大学文化精神的展示。利用不同时期极具代表性的学校人物、事件，展现其在大学发展、学科建设、社会影响等不同方面发挥的具有纪念意义的重要作用，形成重点的展示亮点，从而增强展示的体验感，提升大学文化记忆在大学文化展示中的叙事活力，并充分结合激发观展人情感共鸣的设计关怀。

大学人物与历史事件是大学发展的核心，这种带有强烈个人识别与认同、历史事件共鸣的展览，不但符合大学校史馆的展示功能，同时也更加贴近当代以人为本的理念，关注每个人对于自身文化的识别，并通过具体事件的回溯加强历史学习和论证。通过对比信息差，那些值得纪念和学习的人与事件，成为观者与社会、与大学的对比“坐标”。在这种具有逻辑与真实性的大叙事背景下，增加叙事艺术表达点，是对固态媒介展示的动态提升，也是在平铺的展示模式中对观众视觉体验的加强。

在清华大学 110 周年校庆的校史馆展陈更新设计中，设计团队针对校史馆的“国立西南联合大学”时期（1937 ~ 1946 年）的展示内容，进行了历史场景叙事的设计嵌入。首先，在展线规划时，设计团队对这一时期进行场景叙事设计的空间条件进行了客观评估；其次，在还原历史真实的基础上，开展了对于展示内容的设计与艺术表达。

在方案的设计过程中，设计团队曾经鉴于国立西南联合大学在中国历史发展中的重要地位，提出设计单独的“国立西南联合大学门楣”设计方案，但是最终并未实现，而关于该历史阶段的教室场景复原却保留了下来。对清华大学自身发展而言，虽然国立西南联合大学的历史较短且是由三所学校合并而成的，但是在那个时期，清华师生在恶劣的环境中坚持严格教学，刻苦学习，充分体现了“刚毅坚卓”的优秀学习信念，深刻地体现了清华大学的学术精神。因此，最终打造的相应的历史学习场景展现了这段艰苦岁月，并结合声音设计手段，展现了在雷雨交加、房屋欲坠的环境下，老师坚持教学、学生坚持学习的学术信念。在场景中的黑板上，用白色粉笔写出国立西南联合大学 1942 年度教授与副教授的名单。

从“国立西南联合大学门楣”设计方案的取消到“国立西南联合大学教室”的场景还原，笔者认为这体现了一所大学校史馆在选择大学文化记忆重点展示内容时的考量，其叙事重点是围绕“大学”本体进行分析、开展的。“国立西南联合大学门楣”设计方案其实更多体现的是当时组建西南联合大学的三所学校在历史环境影响下的发展，但是对于清华大学本身而言，重要的是清华人在国立西南联合大学组建期间所彰显的宝贵清华精神（图 5.14、图 5.15）。

图5.14　清华大学校史馆一层局部设计

图5.15　清华大学校史馆“国立西南联合大学时期教室”展区现状

需要辩证地看待设计内容，同样是在这次清华大学校史馆展示设计改造中，对于位于一层的“多科性工业大学（1952 ~ 1976 年）”展示区，为展现清华大学著名的“至少为祖国健康工作五十年”的主题和“丰富多彩的校园生活”主题，设计团队利用有限的相关资料，即原始大学文化记忆承载媒介——文字和照片，采用多层次的展示设计模式，并结合灯带的方式，将这一部分生动地展示出来。尽管在设计之初，这部分没有规划如此大体量的展示区域，但是最终设计效果为一层整体带来了较为厚重的气氛，也带来了关于清华体育精神、校园文化特色的展示内容，形成了相对活跃的设计气氛，对一层整体展示氛围进行了观展节奏的平衡，因此这部分被保留了下来。

通过对整体清华大学校史馆展示策略和设计方法的回顾，笔者认为，利用设计手法赋予固态展示媒介以展示层次的观展活力，是极大的设计优势；但是基于大学校史馆中大学文化记忆整体线性的叙事模式，需要在未来的设计中注重展示空间的比例（图 5.16）。

图5.16　清华大学校史馆“丰富多彩的校园生活”展区现状

（2）第二条路径：以拓展媒介融合为主的叙事模式分析

在进行体系庞大、历史悠久的大学校史馆展示设计时，有时受限于真实的展示空间，大学文化记忆不能被尽数展现。此外，随着时间的积累，大学文化记忆不断被挖掘、被积累，信息量的增加可能与空间体量本身产生矛盾。当然，在媒介技术发展的今天，“线上校史馆”是各所大学校史馆崭新的展示平台，其呈现模式主要有两种：一种是利用虚拟现实（VR）技术在网络端口复现真实校史馆场景，并对具体展示内容进行折叠交互；另一种是重新设计更加适宜屏幕阅读的展示体系，方便观众在屏幕端滑动操作。清华大学校史馆的线上展示属于后者。但是由于本书主要是针对实体空间展示进行讨论，因此不在此处对线上校史馆进行过多的描述。为保证整体展览在识别性上能真实展示策展内容之间的关系，对于横向历史发展中个别纵向板块里那些信息量大却又希望被呈现的记忆内容，建议根据具体展示信息，采用相对动态的展示媒介进行设计，例如可互动的电子展示媒介，或是基础的电子显示屏滚动播放等形式。

大学校史馆中的大学文化记忆的呈现方式受限于校史馆空间媒介的包容度，以及校史馆本身展示设计的更迭频率等。德国哲学家瓦尔特·本雅明（Walter Bendix Schoenflies Benjamin）说过，遥远的是神话，近处的是信息。在清华大学校史馆一层的具体设计中，设计团队运用传统的艺术设计表达形式就可以营造出一种讲述历史故事的氛围，传递关于过去的信息。但是，在清华大学校史馆的二层展区中，“改革开放创一流（1977～2011年）”“新百年 新时代 新征程（2011～2021年）”这两部分展示内容同样是大学文化记忆，经过大学相关机构的多方面权衡，展示了清华大学四十多年来值得纪念的文化记忆，这一部分的展示内容则更趋近于“信息化、数据化”。这一部分的展示，更像是清华大学在与国家、社会齐头并进的发展过程中，对大学发展中产生的教学科研、社会服务等重大成果的汇报。因此，在当代语境下，基于观众对展示内容认知形式的偏好，选择更加具有动态性质的媒介去展示这些信息数据的变化趋势，以使生硬的数据能被更多的观众感知，并激发其进行发掘式、分析式的解读。这正体现了结合展示设计对信息内容的判断，运用适合的媒介技术和设计形式，进行大学文化记忆多重维度的表达（图5.17）。

图5.17　清华大学校史馆二层局部设计

在清华大学校史馆二层最终的展示设计中，设计团队用不同的空间色彩代表不同的发展环节，即以装饰空间媒介为主，结合一些展示设计层次的表达，进行了大学文化记忆信息内容的展示与解读（图5.18）。其中还包括一些从经费、施工技术、施工时间等现实问题出发进行的综合考量。在设计过程中，设计团队尝试利用信息交互的媒介技术、再造教研成果的模型展示等一系列手法进行展示设计，并在设计推敲过程中获得了肯定。

图5.18　清华大学校史馆二层局部展厅现状

5.4　大学校史馆展示局部情感设计——绘情

在本节中，结合前面所述的展示策略以及立体展示设计方法中“展演”这一环节的思考，重点探讨在大学校史馆中如何利用大学文化记忆的局部描绘实现情感化设计。在大学校史馆展示空间具体叙事模式的引导下，随着大学文化记忆媒介设计应用能力的加强和拓展，通过符号化的设计方法，针对具有设计延展力的叙事内容进行更加艺术化的设计表达，让观众发挥自身解读能力，使叙事模式从具象表达过渡到抽象表达。也可以说这是对前面“以小见大”叙事特点的情感化设计，一方面是设计形式的延展，另一方面是注重观众的参与形式。这种“参与”并非仅限于实体的参与，更加注重的是唤起观众在情感上、思想上对内容的解读。笔者认为，这一阶段可以称为令观众充分感受文化记忆内容与内涵的“绘情”阶段，即在大学校史馆中通过展示设计，对大学文化记忆所代表的大学文化进行局部的情感表达。

（1）在大学校史馆中大学文化记忆的“情感”表达

在清华大学校史馆展示设计中，设计团队通过对大学文化记忆的情感内涵进行挖掘与再符号化的艺术表达，创作了一系列作品，例如清华英烈群雕、“国学四大导师”微缩雕塑、“人文名家长廊”再设计、大型手工壁毯设计作品《荷塘月色》，以及用于装饰校史馆二层天窗的清华校花“紫荆花”图案设计等。这些作品并非大学文化记忆在历史发展中本身所依托的媒介，而是在当代语境下进行的艺术化再创作（图 5.19）。

图5.19　清华英烈群雕、“国学四大导师”微缩雕塑、二层天窗“紫荆花”图案设计

图5.20　原清华大学校史馆“院士和人文名家”展区

在清华大学百年校庆的校史馆展示设计中，原清华大学校史馆“院士和人文名家”展区通过蜿蜒的路径和幽暗的环境氛围，从视觉和心理上延长了空间长度，营造了曲径通幽的竹林效果，暗示所需要展示的人物数量非常多。此外，还在道路两侧竹子质感的板材墙壁上，利用亚克力板展示人物照片和信息。利用竹子的材质与形态，在中国的文化语境中，符号化地表现出清华大学人文名家的学术风骨、精神气质（图 5.20）。而在清华大学 110 周年校庆的校史馆展陈更新设计中，这一部分的设计，一方面是与整体空间环境的营造相协调，另一方面是要解决增加或者替换人文名家的问题。校方和设计团队最终选择打造一条同样蜿蜒的路径，但是展示的环境语言则与之前完全不同——弯曲的长廊空间，东方与西洋设计风格交织的红木质感书架。通过带有“清华校庆 110 周年”字样的红色书籍内页，以打开的形式展示清华大学目前已有的人文名家信息，将闭合的书本排放在其余空间中，预留了清华大学未来新增的人文名家的展示位置。

改造后的清华大学校史馆更加强调清华大学“学术无界”的理念，以及中西学术汇集，着眼于世界一流学术研究、学术教育的格局。因此在“人文名家长廊”的设计形态上，选择了更加符合一层整体设计风格、兼具中西特色的古典“书架”和“书籍”的设计造型。此外，在保持庄重优雅和统一风格的设计语言前提下，提高了展示设计形式的可持续性，兼顾了展示文化氛围的塑造和实用功能（图 5.21）。从“竹林”到“书

图5.21　清华大学校史馆“人文名家长廊”展区现状

架”的设计风格转变中可以看出，大学文化与大学精神展示形态的演化，体现了当下群体对于自身文化不同侧重点的展现，同时又借用不同的设计方法巩固着大学自身的文化形象。

除“人文名家长廊”这种整体化的大学文化记忆展示设计外，大型纯手工羊毛壁毯作品《荷塘月色》则是通过创造“新”媒介的形态，去承载和展示当代语境下对于大学文化记忆的艺术化解读。

图5.22　原清华大学校史馆“荷塘月色”投影展区

《荷塘月色》壁毯现展挂于清华大学校史馆一、二层的交通空间中。该空间展陈的内容曾主要是清华大学的风景或人物照片，在百年校庆时，校史馆展示设计中采用了投影的方式展现“荷塘月色”景色空间，但是因为设备等问题，其使用率并不高（图5.22）。在110周年校庆校史馆展陈更新设计时，设计团队最终选择了以壁毯这种艺术品的形式进行展示（图5.23）。

该壁毯作品的创作灵感源自朱自清先生1927年于清华园所创作的散文《荷塘月色》。艺术家在创作《荷塘月色》壁毯时，无论是否借助清华荷塘的实景照片，都通过记忆创作出了具有一定个人风格的作品。同时，《荷塘月色》场景中的“荷叶”“荷花”“明月”“拱桥”等清华荷塘的典型符号，能转变为集体共有的记忆，从而成为有效的沟通媒介。并且，其凭借巨型的尺幅和远看精致、细看丰富的艺术呈现效果，让观者即使未曾去过清华大学的荷塘，也依

图5.23　清华大学校史馆《荷塘月色》壁毯展区现状

然能在心中勾勒出一片月下荷塘的优美景色。一方面，该艺术品通过这种艺术形式将历史上大学人文精神进行了重现，让不可见的大学文化记忆变得可见、可知以及可传播。另一方面，该艺术品为观众带来了一定的解读自由，同时，其主题内容的限定和整体参考元素的限定，使得观众的解读能够围绕清华大学展开。因此，在对于《荷塘月色》的认知上，艺术表达与元素限定，在观众和大学文化之间搭建了相对自由、可以沟通与解读的桥梁。笔者认为，即使没有“沉浸式交互”展项的设计支持，在面对当代艺术作品这样的媒介时，观众依然能够在一定程度上进入一种与大学文化信息进行思想交流的状态。

（2）“情感”设计的主要内容与形式

大学校史馆展示设计的“绘情”阶段，更关注的是观众对于展示内容、形式的解读，观众可以通过自我解释去延展对于大学文化记忆的理解，也可以通过自我解释、他人交流等对大学文化本身进行更加深刻的解读。因此，这类展示设计以艺术化、情感化的设计为主，展示内容则以大学文化记忆组成中的思想精神、人物形象和历史事件为主。这些内容的展示媒介，除了本身存有的文字、图片以及影像等，通常也需要展示设计发挥创造媒介的能力，依托设计转译的力量，发挥创造力，重现已在历史中消逝的人物、事件和精神等，通过场景塑造、主题艺术作品创作、互动体验等方式，引发观众的情感共鸣。同时，通过这种观众的理解与深度参与，使这些展示内容成为观众在大学文化中建立个人与文化认同的关键要素。

在情感设计的主要形式上，需要和观众有所互动，从而引起观众的注意和深刻反思。情感设计本身就能成为一个可以引发观众深刻思考的物品。在整体的展示设计过程中，通过这种赋予观众情感体验的设计规划，能够强化观众对于展示信息的接收、理解和反思。艺术性的设计可以激发观众的想象力，相较于现在的大学校史馆普遍采用的主题性艺术品的创作形式，其未来的发展主要包括以下两个方面。一方面是围绕着主题内容进行符号化设计，由此带来更多的情感转译形式选择，如柏林犹太人博物馆“线”形式的符号运用（“线”的形式设计在该展馆中既代表身体的伤痕，又代表支离破碎的迷茫，同时还附有实际的展示空间功能）等。另一方面，其有助于在大学文化记忆中寻找更多适用于情感表达的内容，利用已有的媒介形式进行再媒介化的设计，或者是结合展示语境进行符号化的转译设计，如从基础的文字内容中摘选出具有深刻含义的片段，通过书法或者其他形式进行特殊处理。例如国立西南联合大学教室中的该校校训“刚毅坚卓”（图 5.24）。也可以对有特殊含义的图片进行设计，如利用拼贴、放大等手法强化情感体验，如清华大学校史馆中的“一二・九”抗日运动场景。在设计中，利用这种可以在某些节点上激发观众抽象性理解的情感设计点，可借助情感化设计带来的艺术表达形式为展示叙事带来节奏的变化，为观众体验带来情绪的变化。这种设计从空间媒介的规划到具体媒介的再设计，都是为整体叙事模式服务，同时也是在规整的历史线性叙事模式中寻找节奏的重要设计环节。

图5.24　清华大学校史馆“国立西南联合大学时期教室”展区现状

可以发现，在笔者对于中国大学校史馆展示设计三个步骤“绘景、绘事、绘情”的分析总结中，虽然在真实的设计实践过程中，可以对这三个步骤进行宏观的设计规划，但在具体的设计应用中，它们则是相互关联、共同作用的，并不存在彼此之间完全割裂的情况（图5.25）。

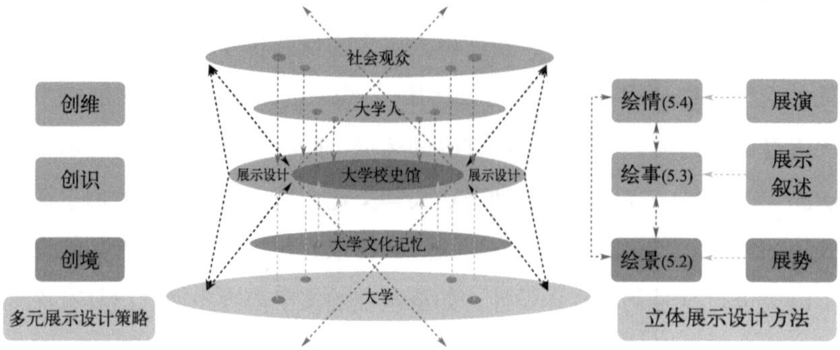

图5.25　大学校史馆展示设计策略与方法结合模型

结 语

以大学文化记忆为展示内容的中国大学校史馆，在多元文化蓬勃发展的当今社会，以清晰的大学文化展示空间作为大学群体进行集体文化识别与认同的场所。同时，大学校史馆通过展示设计也充分发挥了其作为综合媒介展示平台的作用，从而成为每所大学的“文化客体”，即由物、实体以及信息技术组成的可感知的综合展示体。大学校史馆将大学文化实体化，使之得以被凝视、学习，并激励人们为之奋斗。大学校史馆利用丰富的展示设计形式，让大学文化能与观众产生对话与交流，并从与观众的对话中得到新的生长力量，观众亦能够在不同的大学校史馆中体验多元的大学文化，这令当代中国大学校史馆能在新时代的发展中为中国大学文化贡献美育与文教的力量。

本书关于大学校史馆研究的创新点和意义主要有以下 4 个方面。

① 建构了中国大学校史馆展示设计理论体系，为中国大学校史馆展示设计提供了理论研究的支持。

本书从文化视角对中国大学校史馆在中国大学文化传播中的现实意义进行了深入的研究，进一步深化了中国大学校史馆理论层面的内涵。

本书通过引入文化记忆理论，丰富了当代中国大学校史馆的展示内涵与展示内容，明确指出大学文化记忆是一个大学全部知识的总和，是每所大学在不同时代持有且可重复使用的资源，包含文字、图片、庆典等。大学集体可以使用大学文化记忆，同时一个大学群体的认同性和独特性意识也依靠大学文化记忆。结合大学校史馆展示内容现状和文化记忆理论，本书总结了大学文化记忆的 5 个组成方面：时代印记、思想精神、人物形象、历史事件和物化成果；以及大学文化记忆的 6 项内涵：认同性、重构性、媒介性、组织性、约束性、观照性。大学校史馆作为大学文化记忆的集中展示场所，正是通过展示设计呈现大学文化的特征。一方面，通过设计一所大学校史馆的展示空间，大学能够在不同的时代语境下对自身文化记忆进行重构与展示，实现对过往发展经验的总结与学习反思；另一方面，通过对大学文化记忆的重构展示，在为观众展现更加具有深度的大学文化发展历程的同时，也为大学文化未来的发展进行了记忆的积累与铺垫。

大学校史馆呈现出以大学人为核心的观展群体分层特征。这种内化型的展览特点，使大学校史馆成为聚焦大学内部的展示场所，注重大学文化的教育、传承与认同，是大学群体文化展示场所。因此，大学文化记忆的引入不但会在内容和内涵上丰富大学校史馆，同时也会通过这种特定文化记忆的展示设计，为观众带来具有文化限定感的展示空间，从而强化大学校史馆的展示语境。具有鲜明大学文化特色的展示形式，能更好地唤起观众与大学文化之间的共鸣，使观众在观展过程中实现个人文化识别、集体文化认同。此外，本书深入探讨了展示设计中展示内容传播的双向交流特点，将有关传播、媒介的学术理论知识引入中国大学的展示设计认识中。笔者认为，观众在参观高质量的大学校史馆时，可以与大学文化记忆产生交流，在认知、感知大学文化的同时，也能对大学文化的发展进行反哺，在大学校史馆展示空间中实现自身与大学文化的共生，促进大学文化生态发展的良好循环。

② 为大学校史馆展示设计提出了有效的设计方法与流程。

本书从展示设计学科的视角出发，对大学校史馆展示设计策略与方法进行研究，构建了具有学理性的大学校史馆展示设计方法与流程。

本书深入剖析了大学校史馆的 4 项功能：大学历史的展示空间、大学德育空间、大学形象塑造空间、大学文化的建设空间。并从展示空间的性质出发，提出了 4 项展示需求：大学文化的教育、传播、认同、共生需求。

结合基础调研、案例探索以及相关文献学习等，本书总结了我国大学校史馆展示设计发展的 3 个阶段：宣传期（前身）、扁平化设计展示期 1.0 阶段、多层次展示设计应用和注重展示大学文化精神的 2.0 阶段。本书还总结了 4 项大学校史馆展示设计现状：展示叙事模式稳定化，展示媒介大众传播化，展示观众对内化，展示设计形式保守化、趋近化。

在综合研究大学校史馆中的展示内容（大学文化记忆），以及大学校史馆展示空间的功能和需求的基础上，结合展示设计学科发展特色，笔者提出了 4 项大学校史馆展示设计发展趋势：展示策略与形式符号化、展示设计媒介融合共生化、展示内容传播双向化、展示设计促进文化生态化。并结合相关理论开展了对当代中国大学校史馆展示设计策略与方法的研究。

在研究大学校史馆展示设计策略与方法的过程中，笔者充分关注了该过程中的核心活动元素，即大学校史馆展示设计是围绕大学校史馆、大学文化（即大学文化记忆）、观众之间的大学文化展示设计活动。通过引入符号化的展示设计策略，构建了以皮尔斯符号三分论为基础的展示策略三元模型，即大学校史馆作为符号（再现体）、大学文化记忆作为符号表意的对象、观众与展示设计作为解释项。结合展示设计方法，本书深入探索了多元素之间相互作用下的“创境、创识、创维”三个层次的大学校史馆展示设计策略。

基于皮尔斯符号三分论的理论构建策略模型关注解释项中观众与展示设计对大学文化解释的衍义，强调以大学人为核心观众的大学校史馆的展示观众内化性特色，从特定的大学文化群体出发，寻找具有自身独特文化意义的展示设计形式。基于此，笔者结合展示设计规律总结出中国大学校史馆“绘景、绘事、绘情”三大具体设计步骤。

通过以上展示设计策略与方法，一方面，能帮助以大学人为主的观展群体在校史馆空间中更好地实现个体文化身份识别定位以及集体文化的认知与认同。另一方面，能打造出可以令不同观众生成客观认知、主观理解与情感反思的大学校史馆展示设计形式，构建出促进大学文化与观众双方共同成长的展示空间。打造“可知、可感、可传播、可思考”的大学文化展示空间，对于促进中国大学文化发展、提升国民对高等文化教育的认知具有重要作用，也为大学校史馆未来展示设计发展带来了重要的社会价值与意义。

③ 实践案例为大学校史馆的形式设计提供了有价值的参考。

笔者曾深度参与了清华大学 110 周年校庆的校史馆展陈更新设计工作。从设计策划到设计落地，笔者深入学习了大学校史馆展示设计的工作流程、设计特点和困境。最后，结合展示设计专业理论研究、大学校史馆的学术研究现状，以及对我国大学校史馆相关从业人员进行的访谈，笔者认识到完善大学校史馆展示空间设计策略和设计方法的紧迫性和必要性。2011 年清华大学百年校庆的校史馆展示设计任务同样主要由笔者所在的工作室老师带队负责，经过十年的使用，清华大学校史馆负责人作为策展方，对展示空间内容的增改与设计形式提出了明确的提升需求，使得展示设计的整体过程充满了设计反思与挑战。

为了更全面地开展关于大学校史馆的研究工作，笔者根据先后两版由我国三部委联合出台的“双一流”建设高校及建设学科名单，对180余所中国大学的校史馆进行了基础调研工作，针对其中40余所大学的校史馆进行了详细调研，并收集了10余所大学校史馆的现场情况资料。此外，笔者还对亚洲、欧洲等其他地区的大学校史馆或类似展示空间进行了基础情况调研。通过研究发现，大学校史馆在我国大学中具有典型性的组建现象，而其起源与发展除了与我国当代大学校史文化的发展有一定关系外，在一定程度上也是对我国古代书院缅怀学术先人等文化教育功能的一种新时代的传承。在强调文化自信、文化自觉的时代语境下，大学校史馆作为我国大学文化的展示窗口，提升其展示空间的内涵意义与设计品质迫在眉睫。

清华大学110周年校庆中开展的清华大学校史馆展陈更新设计对本书的研究具有重要意义。首先，其策展团队、设计团队在展示设计任务上的延续，为笔者开展大学校史馆展示设计纵向时间线研究带来了有利条件；其次，清华大学作为我国具有代表性的大学，其大学校史馆在我国大学校史馆展示建设中具有极强的标杆作用，因此，笔者参与的清华大学校史馆展示设计项目为我国大学校史馆的展示设计形式提供了极具价值的参考；最后，该设计项目的基础情况、相关调研及学术研究都为笔者研究当代中国大学校史馆展示设计理论和方法提供了充分的条件。

在大学校史馆展示设计方法的研究总结中，结合对于清华大学校史馆展示设计现状的辩证思考，因此本书中当代中国大学校史馆的展示设计策略与方法，一方面关注了中国大学文化展示空间的新领域、新视角，另一方面也具有一定的学术价值和社会实践应用价值。

④ 为与大学校史馆相关的主题文化建设类展示设计提供了具有沿用价值的设计策略和方法模型。

在文化视角下，本书引用文化记忆和符号学相关理论知识，展开了对大学文化的展示设计策略与方法的模型研究。该策略与设计模型注重对展示内容的文化意义的解读，对设计过程中关键要素的分析，以及它们之间相互协作所产生的多元设计策略和立体化的展示设计方法。因此，该模型不仅适用于大学校史馆展示空间设计，还适用于与之相关的主题文化展示、历史呈现、群体文化识别与认同等设计项目，特别是对以特定文化群体为核心、注重观众对主题文化内涵的解读与感知的文化建设展示空间设计，具有一定的实际参考和应用价值。

综上所述，本书多元的展示设计策略和立体化的展示设计方法并不拘泥于大学校史馆展示空间的设计应用。本书以文化记忆和符号学理论为依托，从展示内容、展示载体、展示观众和设计手法等多个方面展开策略分析，结合社会时代语境的变化，形成了具有动态表意的主题文化展示设计方法。

参考文献

[1] 中国高等教育学会 . 高等教育改革发展专题观察报告（2017）[M]. 北京：北京理工大学出版社，2018.

[2] 中国高等教育学会 . 高等教育改革发展专题观察报告（2018）[M]. 北京：北京理工大学出版社，2019.

[3] 胡弼成，徐跃，蒋婷铁 . 和而不同——大学文化培育论 [J]. 清华大学教育研究，2008（5）：29-36.

[4] 雅斯贝尔斯 . 什么是教育 [M]. 邹进，译 . 北京：生活・读书・新知三联书店，1999.

[5] 岸根卓郎 . 我的教育论：真・善・美的三位一体化教育 [M]. 何鉴，译 . 南京：南京大学出版社，1999.

[6] 费孝通 . 中国文化的重建 [M]. 上海：华东师范大学出版社，2014.

[7] 费孝通 . 全球化与文化自觉——费孝通晚年文选 [M]. 北京：外语教学与研究出版社，2013.

[8] 中国社会科学院语言研究所词典编辑室 . 现代汉语词典 [M]. 5 版 . 北京：商务印书馆，2005.

[9] 汪民安 . 文化研究关键词 [M]. 南京：江苏人民出版社，2020.

[10] 康澄 . 文化及其生存与发展的空间——洛特曼文化符号学理论研究 [M]. 江苏：河海大学出版社，2007.

[11] 费瑟斯通 . 消费文化与后现代主义 [M]. 刘精明，译 . 南京：译林出版社，2000.

[12] 迪克斯 . 被展示的文化：当代"可参观性"的生产 [M]. 冯月，译 . 北京：北京大学出版社，2007.

[13] 怀特 . 文化的科学：人类与文明研究 [M]. 沈原，译 . 济南：山东人民出版社，1988.

[14] 卡斯特 . 信息时代三部曲：经济、社会与文化 [M]. 夏铸九，译 . 北京：社会科学文献出版社，2001.

[15] 列平 . 透视：大学校史文化 [M]. 武汉：湖北人民出版社，2014.

[16] 张克非，王守中 . 中国大学校史研究（2018）[M]. 郑州：河南大学出版社，2020.

[17] 王海涵，黄敏 . 中外校史编纂要览 [M]. 上海：复旦大学出版社，2012.

[18] 杨慎初 . 中国书院文化与建筑 [M]. 武汉：湖北教育出版社，2002.

[19] 韦尔策 . 社会记忆：历史、回忆、传承 [M]. 季斌，王立君，白锡堃，译 . 北京：北京大学出版社，2007.

[20] 阿斯曼 . 文化记忆——早期高级文化中的文字、回忆和政治身份 [M]. 金寿福，黄晓晨，译 . 北京：北京大学出版社，2015.

[21] 阿斯曼 . 回忆空间 [M]. 潘璐，译 . 北京：北京大学出版社，2016.

[22] 阿斯曼 . 记忆中的历史 [M]. 袁斯桥，译 . 南京：南京大学出版社，2017.

[23] 诺拉 . 记忆之场——法国国民意识的文化社会史 [M]. 黄艳红，译 . 南京：南京大学出版社，2015.

[24] 埃尔 . 文化记忆理论读本 [M]. 冯亚琳，译 . 北京：北京大学出版社，2012.

[25] 埃尔，纽宁 . 文化记忆研究指南 [M]. 冯亚琳，译 . 南京：南京大学出版社，2021.

[26] 陈新，彭刚 . 文化记忆与历史主义 [M]. 杭州：浙江大学出版社，2014.

[27] 冯亚琳 . 德国文化记忆场 [M]. 北京：中国言实出版社，2016.
[28] 叶芝 . 记忆的艺术 [M]. 钱彦，姚了了，译 . 北京：人民文学出版社，2018.
[29] 赵坤 . 空间想象与文化记忆：1980 年代以来城市叙事中的建筑书写 [M]. 北京：中国社会科学出版社，2019.
[30] 李红涛，黄顺铭 . 记忆的纹理 [M]. 北京：中国人民大学出版社，2017.
[31] 赵毅衡 . 符号学原理与推演 [M]. 南京：南京大学出版社，2016.
[32] 王铭玉 . 符号学思想论 [M]. 北京：商务印书馆，2021.
[33] 皮尔斯 . 皮尔斯：论符号 [M]. 赵星植，译 . 成都：四川大学出版社，2014.
[34] 赵星植 . 皮尔斯与传播符号学 [M]. 成都：四川大学出版社，2017.
[35] 霍克斯 . 结构主义与符号学 [M]. 上海：上海译文出版社，1988.
[36] 张碧 . 社会文化符号学 [M]. 成都：四川大学出版社，2014.
[37] 郭庆光 . 传播学教程 [M].2 版 . 北京：中国人民大学出版社，2011.
[38] 亚当斯 . 媒介与传播地理学 [M]. 袁艳，译 . 北京：中国传媒大学出版社，2020.
[39] 麦克卢汉 . 理解媒介：论人的延伸 [M]. 何道宽，译 . 北京：译林出版社，2000.
[40] 李特约翰 . 人类传播理论 [M]. 史安斌，译 . 北京：清华大学出版社，2009.
[41] 延森 . 媒介融合：网络传播、大众传播和人际传播的三重维度 [M]. 刘君，译 . 上海：复旦大学出版社，2012.
[42] 杨溟 . 媒介融合导论 [M]. 北京：北京大学出版社，2013.
[43] 林文刚 . 媒介环境学：思想沿革与多维视野 [M]. 北京：北京大学出版社，2007.
[44] 蒋晓丽，石磊 . 传媒与文化：文化视角下的传媒研究 [M]. 北京：华夏出版社，2008.
[45] 陈晓莹 . 文化传播学 [M]. 福建：福建人民出版社，2017.
[46] 费斯克 . 传播研究导论：过程与符号 [M]. 许静，译 . 北京：北京大学出版社，2008.
[47] 冯月季，赵毅衡 . 传播符号学教程 [M]. 重庆：重庆大学出版社，2016.
[48] 李乐山 . 符号学与设计 [M]. 西安：西安交通大学出版社，2015.
[49] 徐恒醇 . 设计符号学 [M]. 北京：清华大学出版社，2008.
[50] 张宪荣 . 设计符号学 [M]. 北京：化学工业出版社，2004.
[51] 胡飞 . 工业设计符号基础 [M]. 北京：高等教育出版社，2007.
[52] 洛伦克，斯科尼克，伯杰 . 什么是展示设计 [M]. 邓涵予，张文颖，朱飚，译 . 北京：中国青年出版社，2008.
[53] 马赛 . 工业设计与展示设计 [M]. 北京：中国纺织出版社，1998.
[54] 史习平 . 展示设计 [M]. 北京 ：清华大学出版社，2005.
[55] 李梦玲，邱裕 . 展示设计 [M]. 北京：清华大学出版社，2011.
[56] 德尼 . 英国展示设计高级教程 [M]. 韩薇，译 . 上海：上海人民美术出版社，2007.
[57] 甄健恒 . 今日展览 A → Z[M]. 广州：善本出版有限公司，2021.
[58] 邓庄 . 留住乡愁城市记忆的空间传播 [M]. 北京：人民出版社，2020.
[59] 诺伯舒兹 . 场所精神：迈向建筑现象学 [M]. 施值明，译 . 武汉：华中科技大学出版社，2010.
[60] 夏铸九 . 空间的文化形式与社会理论读本 [M]. 台北：明文书局，1989.
[61] 刘宏宇 . 呈现的真相和传达的策略：博物馆历史展览中的符号传播和媒介应用 [M]. 北京：人民日报出版社，2016.
[62] 唐克扬 . 美术馆十讲 [M]. 北京：商务印书馆，2016.
[63] 严建强 . 策展的挑战 [M]. 杭州：浙江大学出版社，2021.

[64] 严建强 . 在博物馆学习：博物馆展览中的认知与传播 [M]. 杭州：浙江大学出版社，2020.

[65] 本雅明 . 单向街 [M]. 陶林，译 . 江苏：江苏凤凰文艺出版社，2015.

[66] 查特曼 . 故事与话语：小说和电影的叙事结构 [M]. 徐强，译 . 北京：中国人民大学出版社，2013.

[67] 刘鹏 . 原境之魅 [M]. 上海：同济大学出版社，2021.

[68] 西蒙 . 参与式博物馆 [M]. 喻翔，译 . 杭州：浙江大学出版社，2018.

[69] 麦克唐纳，法伊夫 . 理论博物馆——变化世界中的一致性与多样性 [M]. 陆芳芳，译 . 杭州：浙江大学出版社，2020.

[70] 王宏钧 . 中国博物馆学基础 [M]. 上海：上海古籍出版社，2001.

[71] 黄建成，刘如凯 . 历史 · 空间 · 媒介：湖南省博物馆陈列展示设计 [M]. 长沙：湖南美术出版社，2003.

[72] 麦卡特，帕拉斯玛 . 认识建筑 [M]. 宋明波，译 . 长沙：湖南美术出版社，2020.

[73] 布鲁姆，摩尔 . 身体、记忆与建筑：建筑设计的基本原则和基本原理 [M]. 成朝晖，译 . 北京：中国美术学院出版社，2008.

[74] 李伯斯金 . 破土：生活与建筑的冒险 [M]. 吴家恒，译 . 北京：清华大学出版社，2008.

[75] 林璎 . 雕刻大地：林璎和她的艺术世界 [M]. 陈晓宇，奚雪松，译 . 长沙：湖南文艺出版社，2020.

[76] 米歇尔 . 图像何求：形象的生命与爱 [M]. 陈永国，高焓，译 . 北京：北京大学出版社，2018.

[77] 诺曼 . 设计心理学 1：日常的设计 [M]. 小柯，译 . 北京：中信出版社，2015.

[78] 林玉莲，胡正凡 . 环境心理学 [M]. 北京：中国建筑工业出版社，2018.

[79] 特雷弗，亚当斯 . 情感与设计 [M]. 于娟娟，译 . 北京：人民邮电出版社，2014.

[80] 徐恒醇 . 设计符号学 [M]. 北京：清华大学出版社，2008.

[81] 庞蒂 . 电影与新心理学 [M]. 方尔平，译 . 北京：商务印书馆，2019.

[82] 萨顿 . 德勒兹眼中的艺术 [M]. 林何，译 . 重庆：重庆大学出版社，2016.

[83] 阿恩海姆 . 艺术与视知觉 [M]. 滕守尧，译 . 成都：四川人民出版社，1998.

[84] 秦嘉煜 . 大学校史馆研究——以清华大学校史馆为例［D］. 北京：清华大学，2009.

[85] 白莹 . 我国高校博物馆发展现状研究［D］. 南京：南京师范大学，2014.

[86] 朱绍瑞 . 校史馆展示空间主题叙事性设计研究——以大连理工大学校史馆为例［D］. 大连：大连理工大学，2019.

[87] 瞿锦秀 . 中国百年大学教育遗产资源的管理——基于江苏省的考察［D］. 苏州：苏州大学，2020.

[88] 顾佳燕 . 我国大学校史馆建设研究［D］. 南京：南京大学，2020.

[89] 刘万里 . 大学校园空间的文化性研究［D］. 哈尔滨：哈尔滨工业大学，2009.

[90] 詹鹏超 . 基于视觉心理因素下的大学校史馆展示设计研究——以西安建筑科技大学为例［D］. 西安：西安建筑科技大学，2018.

[91] 杜雨萱 . 西南交通大学校史馆展示空间设计方法探究［D］. 成都：西南交通大学，2016.

[92] 闵颜 . 基于格式塔知觉的上海交通大学校史馆展陈设计研究［D］. 杭州：浙江理工大学，2019.

[93] 于富业 . 关于中国生态博物馆的初步研究——以贵州生态博物馆群和浙江安吉生态博物馆群为例［D］. 南京：南京艺术学院，2014.

[94] 张欣 . 文化记忆理论研究［D］. 青岛：中国海洋大学，2015.

[95] 张琰 . 阿斯曼文化记忆理论中的媒介思想研究［D］. 保定：河北大学，2021.

[96] 谭晓静 . 文化失忆与记忆重构——海南黄道婆文化解读［D］. 武汉：中南民族大学，2011.

[97] 李巍 . 移民社会的文化记忆——辽宁民间社火研究［D］. 北京：中央民族大学，2010.

[98] 叶蔚春 . 文化记忆：从创伤到认同［D］. 福州：福建师范大学，2018.

[99] 程炎焱 . 记忆理论视角下当代文化建筑叙事空间设计研究［D］. 广州：华南理工大学，2018.

[100] 汪瑞霞 . 空间记忆与情境重构——当代江南村镇文化景观设计研究［D］. 南京：南京艺术学院，2020.

[101] 邵鹏 . 媒介作为人类记忆的研究——以媒介记忆理论为视角［D］. 杭州：浙江大学，2014.

[102] 方玲玲 . 媒介之城——媒介地理学视野下的空间想象力与城市景观［D］. 杭州：浙江大学，2007.

[103] 陈虹虹 . 集体记忆的媒介实践研究——以南京大屠杀纪实影像为中心［D］. 武汉：华中科技大学，2018.

[104] 陈洛奇 . 展示设计场域性综合空间研究［D］. 北京：清华大学，2019.

[105] 王可欣 . “记忆 + 创造力”：场域视角下的博物馆传播［D］. 北京：清华大学，2018.

[106] 汪丽君 . 广义建筑类型学研究——对当代西方建筑形态的类型学思考与解析［D］. 天津：天津大学，2003.

[107] 李媛 . 从传播学视域对展示空间的设计研究［D］. 上海：同济大学，2005.

[108] 白月 . 展示设计中的情感化设计研究［D］. 济南：山东轻工业学院，2012.

[109] 张彩霞 . 皮尔斯符号理论研究［D］. 济南：山东大学，2015.

[110] 季海宏 . 皮尔斯符号学思想探索［D］. 南京：南京师范大学，2011.

[111] 王新朋 . 罗曼・雅各布森言语交际理论研究——六因素六功能的当代符指拓展与应用［D］. 南京：南京师范大学，2019.

[112] 林志伟 . 皮尔斯符号学视角下符号类型在广告中的应用［D］. 南宁：广西大学，2014.

[113] 刘瑞雪 . 皮尔斯原则中的传播学思想研究［D］. 济南：山东大学，2017.

[114] 田沁雪 . 基于集体记忆传承的西安顺城巷市民活动中心设计研究［D］. 西安：西安建筑科技大学，2018.

[115] 崔新建 . 文化认同及其根源 [J]. 北京师范大学学报（社会科学版），2004（4）：102–104+107.

[116] 王霄冰 . 文字、仪式与文化记忆 [J]. 江西社会科学，2007（2）：237–244.

[117] 吴盛博 . 文化记忆理论的演变及现实意义 [J]. 外语学刊，2021（6）：123–126.

[118] 陈志刚，覃玉兰 . 历史空间的内涵与空间观念素养的培养 [J]. 历史教学（上半月刊），2018（2）：18–23.

[119] 陶东风 . “文艺与记忆”研究范式及其批评实践——以三个关键词为核心的考察 [J]. 文艺研究，2011（6）：13–24.

[120] 康澄 . 文化记忆的符号学阐释 [J]. 国外文学，2018（4）：11–18+153.
[121] 康澄 . 文化符号学的空间阐释——尤里・洛特曼的符号圈理论研究 [J]. 外国文学评论，2006（2）：11–18+153.
[122] 赵静蓉 . 文化记忆与符号叙事——从符号学的视角看记忆的真实性 [J]. 暨南学报（哲学社会科学版），2013，35（5）：85–90+163.
[123] 刘慧梅，姚源源 . 书写、场域与认同：我国近二十年文化记忆研究综述 [J]. 浙江大学学报（人文社会科学版），2018，48（4）：185–203.
[124] 余红兵 . 文化记忆的符号机制初论 [J]. 山东外语教学，2019，40（5）：73–82.
[125] 方惠 . 昨日重现：媒介变迁中的记忆研究进路［C］// 中国传媒大学 . 中华新闻传播学术联盟第六届研究生学术研讨会论文集 . 北京：中国人民大学新闻学院，2014：366–378.
[126] 赵毅衡 . 学术前沿：意义理论与符号叙述学——艺术与游戏在意义世界中的地位 [J]. 中国比较文学，2016（2）：1–12.
[127] 赵毅衡 . 符号学第一悖论：解释意义不在场才需要符号 [J]. 西华大学学报（哲学社会科学版），2018，37（2）：1–5+11.
[128] 胡翼青 . 传播学学科地位的再认识 [J]. 南京大学学报（哲学 . 人文科学 . 社会科学版），2000，3（5）：128–135.
[129] 赵星植 . 论皮尔斯符号学中的“信息”概念 [J]. 符号与传媒，2016（2）：159–171.
[130] 赵星植 . 皮尔斯的三元模式在传播学中的意义 [J]. 中外文化与文论，2015（3）：180–189.
[131] 李彬，关琮严 . 空间媒介化与媒介空间化——论媒介进化及其研究的空间转向 [J]. 国际新闻界，2012，34（5）：38–42.
[132] 马赛，史习平，范寅良 . 展示中的“势”与“示”［C］// 清华大学美术学院工业设计系 . 创新设计管理：2009 清华国际设计管理大会论文集 . 清华大学美术学院，2009：179–182.
[133] 沈辰 . 什么是观众喜欢和看得懂的展览？ [J]. 科学教育与博物馆，2020，6（1）：4–6.
[134] 吴诗中 . 展示陈列中的叙事空间设计 [J]. 装饰，2012（7）：120–122.
[135] 章晴方 . 现代展示设计的发展趋势 [J]. 新美术，2010，31（1）：99–101.
[136] 余斡寒，魏柯 . 博物馆建筑中的路径空间 [J]. 装饰，2018（8）：12–18.
[137] 徐润泽 . 现代艺术的呈现：阿尔弗雷德・巴尔的“白立方”展示模式及其新柏拉图主义思想 [J]. 南京艺术学院学报（美术与设计版），2017（2）：12–16+193.
[138] 徐润泽 . 看不见的操控之手：赫伯特・拜耶展览展示设计观念研究 [J]. 装饰，2019（3）：108–111.
[139] 关昕 . 博物馆参与式展览中的国家精神价值阐释——以新加坡游乐场（1930–2030）主题特展为例 [J]. 自然科学博物馆研究，2019，4（2）：45–52+89.
[140] 张剑 . 产品设计符号学系统化构建中的思考（1）——两种符号学模式的选择 [J]. 美术大观，2021（12）：138–143.
[141] 张剑 . 产品设计符号学系统化构建中的思考（2）——语言中心论向完整认知的转向 [J]. 美术大观，2022（1）：142–148.
[142] 王梦瑶 . “红飘带”、校史馆新设计，两次跨学科锻造 [J]. 大学生，2021（6）：54–55.
[143] 范明 . 高校档案馆建设校史馆的现实意义与设计创意——以海南大学校史馆建设

为例 [J]. 海南大学学报（人文社会科学版），2015，33（4）：126–130.

[144] 王志亮 . 皮尔斯符号学与视觉艺术 [J]. 南京艺术学院学报（美术与设计版），2011（3）：108–114.

[145] 梁建飞 . 皮尔斯范畴论视域下的平面广告视觉符意系统 [J]. 包装工程，2020，41（8）：293–296.

[146] 张程远 . 符号解构与知觉感受——李伯斯金犹太人博物馆新馆解读 [J]. 建筑与文化，2017（7）：20–21.

[147] 王志阳 . 博物馆的叙事性表达——解析柏林犹太人博物馆 [J]. 公共艺术，2017（1）：51–55.

[148] 张丹丹 . 建筑空间中的情感体验——丹尼尔 · 李伯斯金及柏林犹太人博物馆 [J]. 中外建筑，2012（6）：75–77.

[149] 汤筠冰 . 艺术传播符号的理论脉络与形态分演 [J]. 南京艺术学院学报（美术与设计），2015（5）：150–154.

[150] 莫梅锋 . 多感官整合设计理念在广告中的应用 [J]. 包装工程，2013，34（20）：4–7.

[151] 胡巾煌 . 数字化艺术传播的媒介特性 [J]. 新媒体研究，2019，5（5）：115–116.